S0-BSP-937

RABOLIOT

DU MÊME AUTEUR

(*A la librairie Flammarion.*)

Pour paraître.

MAURICE GENEVOIX

RABOLIOT

PARIS
BERNARD GRASSET
61, RUE DES SAINTS-PÈRES
1925

IL A ÉTÉ TIRÉ DE CET OUVRAGE : SEPT EXEMPLAIRES SUR PAPIER CHINE DONT CINQ NUMÉROTÉS CHINE 1 A 5 ET DEUX NUMÉROTÉS CHINE H. C. I et H. C. II ; TREIZE EXEMPLAIRES SUR PAPIER JAPON IMPÉRIAL DONT DIX NUMÉROTÉS JAPON 1 A 10 ET TROIS NUMÉROTÉS JAPON H. C. I à H. C. III ; CINQUANTE-SIX EXEMPLAIRES SUR PAPIER HOLLANDE VAN GELDER, DONT CINQUANTE EXEMPLAIRES NUMÉROTÉS HOLLANDE 1 A 50 ET SIX EXEMPLAIRES NUMÉROTÉS HOLLANDE H. C. I à H. C. VI ET CENT SOIXANTE-DEUX EXEMPLAIRES SUR VÉLIN PUR FIL MONTGOLFIER DONT CENT CINQUANTE NUMÉROTÉS VÉLIN PUR FIL 1 A 150 ET DOUZE EXEMPLAIRES NUMÉROTÉS VÉLIN PUR FIL H. C. I à H. C. XII

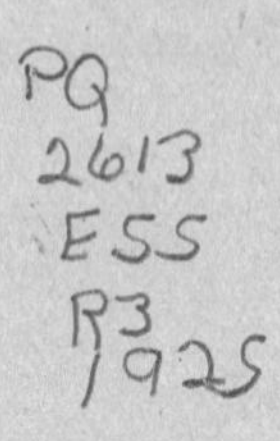

PREMIÈRE PARTIE

I

Depuis la veille, l'*œillard* de l'étang, grand ouvert, tirait : cela faisait à la surface de l'eau un entonnoir aux parois luisantes, un tourbillon tranquille et fort, si continûment régulier qu'il apparaissait immobile. Mais par instant quelque feuille morte, quelque brindille de jonc desséchée approchait avec lenteur, aspirée d'un attrait invincible, accélérait son glissement peu à peu, et, basculant soudain, s'engouffrait en chute vertigineuse.

On entendait sous la digue en chaussée une rumeur de cascade souterraine. Le courant jaillissait au pied du talus gazonné, filait d'une seule coulée bourbeuse dardée raide à travers les prés. Du ruisseau de Bouchebrand débordé, on ne distinguait plus que les hampes des joncs, les quenouilles veloutées des massettes, parcourues toutes au choc des eaux d'une ondulation trémulante et qui se propageait très loin.

Toute la nuit encore, l'œillard avait tiré. Toute la nuit, de sa maison, le garde Tournefier en avait entendu le fracas monotone. Derrière ses volets clos, les ténèbres bruissaient de ce lourd et frais grondement ; il l'entendait du creux de son sommeil, en même temps qu'à son flanc, dans l'épaisseur duveteuse de la couette, il éprouvait vaguement le poids abandonné et chaud du corps de Tasie, sa femme. Et quelquefois, ce bruit l'éveillant tout à fait, il recouvrait soudain la conscience des choses coutumières : il distinguait vers le chenil le souffle ronflant de son vieux chien Pillon, le choc mou d'un lapin qui se retournait dans sa caisse, l'ébrouement d'ailes d'une poule au perchoir, ou celui d'un faisan dans la volière d'élevage. C'était, sur la maison, l'innombrable toucher de l'espace familier, la houlée lointaine des pineraies au passage d'un coup de vent, le cri rouillé d'une chevêche en chasse, toute la grande paix vigilante des nuits, où cette nuit s'entendait, infatigable, le grondement de l'œillard au travail.

Tasie, à son côté, remuait. Alors il lui disait :

— L'eau pousse... Les étangs supérieurs donnent si fort que ça mettra du temps à passer... Ecoute ça, bon Dieu, si ça pousse !

Tasie sans répondre bâillait, mussait sa tête au creux de son bras replié. Et Tournefier continuait, pour lui seul :

— Avant-hier, à la *Patte d'oie*, c'est venu

tellement gros que la bonde n'a pas pu y suffire : l'eau a passé sur le chemin, aussi large et raide que la Sauldre... Elle a laissé des trous, cent bons dieux, à y loger un troupeau de vaches !

Songeant tout haut, il évoquait la pêche des jours récents, évaluait le rendement des étangs mis à sec : « Buzidan, cette année, avait mieux donné que Malvaux ; à Chanteloup, le frai avait été mangé par les perches d'Amérique : quelle sacrée vermine c'était là !... » Il parlait de carpes-cuir, de black bass et d'ides mélanotes, et puis de tanches et de goujons. Tous ces noms grouillaient dans sa tête, comme les poissons dans la vase des bassins de triage... « Tancogne, le fermier général de M. le comte, avait fait grillager la fosse aux brochets, à cause des loutres. Quelle vermine aussi, les loutres, quelle sale graine de dévorants ! Pire que les renards, en un sens ; pire que les bracos à deux pattes !... »

Sa songerie évoluait, hantée d'ennemis sans nombre. La pêche, au fond, il s'en fichait : les perches d'Amérique pouvaient gober jusqu'au dernier tous les alevins du Tancogne ; ça n'était pas l'affaire d'un garde-chasse. Il était garde-chasse, et fameux garde, il pouvait s'en vanter : Firmin Tournefier, dit « Cent bons dieux », à cause d'une habitude de parler qu'il avait.

Une chevêche passait sur la maison, étirant dans le noir son aigre plainte, son grincement triste de girouette : encore une malveillante, quêtant un mauvais coup nocturne. Ah ! ces nuits ! Est-ce qu'on pouvait dormir quand on avait, comme lui, le métier dans le sang? On s'allonge sous les couvertures, on ferme un œil, et l'on écoute. A travers le sommeil les sens guettent, anxieux du glapissement soudain, de l'aboi à deux temps du renard qui mène un gibier ; on songe aux pièges tendus dans les sentiers d'assommoir ; on devine, sur les talus des fossés, le glissement onduleux d'un putois ou d'une fouine en maraude... Ce tintement de grelot, qu'est-ce que c'est? Voilà deux nuits, sur les Communaux, il y a eu un coup de lanterne... Pas de lune non plus, cette nuit ; et du vent, et de la pluie dans l'air : si quelque équipe de lanterniers, tout de même... Attention si les fusils pètent ! Non, rien... Et ça vient de tinter encore : ce n'est que le grelot de Gib, la petite chienne, qui bouge dans le fond de sa niche.

Le jour venait, perceptible seulement au vaste silence des choses. Tournefier appela tout à coup :

— Tasie !

Il était déjà debout, se vêtait à tâtons, avec des gestes machinaux et précis. Sur la table, il retrouva la petite lampe pigeon, l'alluma, emplit un verre de café froid.

— Que je te dise, Tasie : Tancogne a embauché un homme de plus, pour sa pêche.

Après un silence, il demanda :

— Tu sais qui?

Et, sans attendre la réponse :

— Le gars Fouques, ton cousin.

— Raboliot? dit Tasie.

— Raboliot, oui.

Assis devant la table, taillant au pain de longues mouillettes, il les plongeait dans le café, les tranchait à coups de dents nets. Dans la clarté du lumignon sa face blonde et sanguine, d'ordinaire insoucieuse et riante, montrait une gravité anormale, le tourment d'un obscur souci. Ses yeux gris, d'une pâleur ingénue et limpide, fixaient sans voir la toile cirée. Sa poitrine se gonfla d'une inspiration profonde ; il soupira, bruyamment :

— Ecoute, Tasie...

Il sembla soudain résolu :

— J'ai comme une idée, dit-il, que ça ne lui vaudra rien, au Raboliot, de venir rôder par ici. Tancogne cherchait un homme à embaucher : c'est Volat qui lui a indiqué Raboliot.

— Et après? dit Tasie.

Elle s'était accoudée sur l'oreiller. Il ne voyait rien d'elle, dans la pénombre, que la pâleur de son visage, écrasée de lourds cheveux noirs.

— Une idée comme ça, répéta Tournefier. Volat, Tancogne : le cousin fera bien de ne pas trop s'y fier. C'est une chenille, Volat... Jaloux de la chasse tel que je le connais, je pense bien qu'il n'attirerait pas Raboliot dans ses guêtres, et les collets, et le fusil de Raboliot, à moins de lui préparer, par en-dessous, un sale coup.

— Bah! fit Tasie. Il est malin aussi, Raboliot.

— Mais pas méchant, pas venimeux comme l'autre. Je te le dis, Tasie : qu'il prenne garde au Volat.

Silencieuse, la femme réfléchissait. Et tout à coup :

— Qu'est-ce qu'il pourrait lui faire sans toi, hein, Volat? Est-ce qu'il est garde-chasse? Est-ce qu'il a prêté serment? Est-ce qu'il peut dresser un procès?... Qu'il prenne garde au Volat, tu disais... Et à toi aussi, je pense?

— Peut-être bien, acquiesça Tournefier.

Et il expliquait, soucieux :

— Je ne lui veux pas de mal, cent bons dieux non. Tout de même, allons... Qu'est-ce que je pourrai faire, dis voir, si jamais le vieux Tancogne m'oblige à lui tomber dessus? Et Volat l'y aidera, tu peux croire. Et moi-même, des fois, sans le vouloir... Que je me prenne le pied dans un collet, que j'en découvre toute une bordée, il faudra donc que je me bouche les yeux, crainte de m'apercevoir, par hasard, qu'ils ont été tendus par Raboliot ?

Il hocha la tête à plusieurs reprises, la main déjà sur le loquet de la porte :

— Ce que j'en dis... conclut-il. Enfin oui, c'est pour te dire que j'aimerais mieux le voir ailleurs.

Dans l'aube grise et mouillée, il s'achemina vers l'étang. La Sauvagère était maintenant presque vide : à peine, aux abords de la bonde, restait encore une mare triangulaire, bourbeuse, dont l'eau bougeait de vagues et lents remous. Les joncs des berges arrondies montraient, au-dessous d'une ligne brune et mince, leurs pieds grisaillés de vase sèche ; entre les plages de sable tourbeux, pareilles à des amas de cendres colmatées, des filets d'eau sinuaient, mourants ; l'œillard, comme épuisé, ne faisait plus entendre son grondement lourd et continu, plus rien qu'un bruit frais de cascade, d'eau qui tombe et qui claque au lieu de se ruer puissamment.

— Bonjour, Tournefier.

C'était Tancogne, le fermier général, apparu devant lui sans qu'il l'eût entendu venir. Il éprouva comme un malaise.

— Bonjour monsieur Tancogne, dit-il avec politesse.

Tous deux ils regardèrent, à leurs pieds, la mare d'un jaune brunâtre qui entourait la bonde. Les mêmes remous s'y tourmentaient, tantôt torpides et profonds, tantôt exaspérés, agitant violemment la surface, y déroulant d'épaisses volutes floconneuses.

— Il doit y en avoir, dit Tournefier.

Tancogne continuait d'observer sans mot dire. Le malaise du garde grandissait ; des questions lui venaient aux lèvres, à propos des hommes de corvée, de Raboliot surtout, et de Volat. Il lui semblait, si seulement il les prononçait, que la personne de Tancogne dépouillerait cette espèce de mystère glacial, qui flottait autour d'elle comme un linceul autour d'une *birette* [1] ; mais quelque chose pesait sur sa langue, un pavé qui la paralysait. Du coin de l'œil, il guettait la silhouette sèche et dure : les houseaux de cuir jadis noirs, presque roux maintenant entre les éclaboussures de boue sèche ; le pardessus d'un étrange vert bouteille qui lui aussi tournait au roux, bruissant, à chaque geste du vieux, du froissement des journaux qui le matelassaient ; le cache-nez à carreaux qui rebroussait la barbe raide et pauvre, d'un vilain blanc terni, fumeux, et qui semblait taré par cette nuée miséreuse que Tancogne traînait après lui. A peine si

1. Fantôme ; sorcier accoutré en fantôme.

Tournefier osait lever les yeux vers le visage desséché, aux lèvres mauves entre les durs poils clairsemés, aux pommettes plaquées d'un parchemin grisâtre que tachaient des marbrures cireuses, vers les yeux d'un jaune minéral, désagréablement fixes et brillants sous un larmoiement continuel. Sur son crâne qu'on devinait chauve, Tancogne portait un bonnet de loutre, une fourrure peladeuse et qui montrait son cuir ; la lourde toque enfoncée creux rabattait les minces oreilles, plus cireuses encore que le visage, mais qui par transparence laissaient voir une fade nuance mauve, la même qui colorait les lèvres et les bords éraillés des paupières. Le vieux toussait. D'une petite bonbonnière de métal il tirait des boules de gomme, qu'il mâchonnait lentement, comme des chiques.

— Ah ! bien, soupira Tournefier. Voilà la charrette qui s'amène.

Elle venait par l'allée sablonneuse, bordée d'épicéas et de pommiers alternés. Un mulet maigre, entre les brancards, allongeait son pas dégingandé ; un homme le tenait par la bride, courant presque ; deux autres, debout dans la charrette, se tenaient accotés aux ridelles parmi des ustensiles pêle-mêle ; un quatrième suivait, quelques pas en arrière. Dans le petit jour frais, où traînaient des nuées bruineuses, les cahots du tape-cul secoué par les ornières, les entre-chocs des bidons de fer blanc s'engourdissaient en sonorités grêles ; on n'entendit les voix des hommes que lorsqu'ils touchèrent l'étang.

Tout de suite, ils commencèrent la pêche. Bottés de caoutchouc jusqu'au faîte des cuisses, un ciré noir leur collant à l'échine, ils pataugeaient, l'*aveiniau* [1] à la main. Tournefier, lui aussi, s'était botté : il marchait dans le lit de l'étang, foulant le sable moite et ferme, qui çà et là bougeait d'un tremblotement massif, et tout à coup, traîtreusement, fonçait. Alors sa jambe plongeait dans une gangue vaseuse ; et il gesticulait, accompagnant d'un balancement des bras ses coups de hanches, pour arracher sa jambe à l'étreinte du bourbier. Des algues, à ses pieds, s'agglutinaient en paquets noirâtres, vites flétries à la morsure de l'air ; il les soulevait, les mains rouges, ramassant les alevins échoués : il y avait de petites carpes-cuir, dont la peau fauve s'ornait de larges écailles d'or plaquées en file au long des flancs, des tanches d'un vert sombre et sonore, dégouttelantes de la vase où elles se tenaient blotties, des goujons ternes, au ventre d'un blanc gras. Tournefier les lavait dans un seau qu'il portait, les secouait un instant, les doigts entrefermés, et les laissait couler dans

1. Épuisette.

l'eau avec une douceur délicate. Sous ses pas des odeurs fortes se levaient, une senteur de poissons remués, de vase nue, de fermentations végétales.

— Pas de perches d'Amérique?

Tancogne l'interpellait, de la berge, dressant sa silhouette de gnome entre deux aulnes en buisson. Le garde sursauta :

— Excusez-moi, monsieur. Il y en a.

— Beaucoup?

— Excusez-moi, répéta Tournefier ; je crois que oui.

— Faites voir, dit Tancogne.

Il y en avait beaucoup, en effet : menues et larges, presque rondes, des médailles d'émaux chatoyants, orange et soufre, vert et bleu. Le garde en ramassa quelques-unes, qui tout de suite hérissèrent l'armure épineuse de leurs reins. Tancogne les prit entre ses mains, les considéra un instant ; dans ses yeux froids une flamme s'alluma, et ses mains se mirent à trembler. Il ne dit pas un mot, mais ses doigts se crispèrent ; leurs bouts pointus, aux ongles durs, s'enfoncèrent dans un ventre orangé ; un à un, avec la même froideur cruelle, il creva les poissons qu'avait apportés Tournefier ; on entendait chaque fois un aigre et léger claquement, celui de la poche natatoire qui éclatait sous la pression.

Il s'avança sur la chaussée, gagna la contre-pente de la digue, où l'eau sortait du conduit souterrain. Son approche faisait taire les hommes, les inclinait vers leur besogne. Ils étaient maintenant une dizaine, qui travaillaient avec une lenteur diligente, habitués qu'ils étaient à ces pêches d'automne. Chaque année, octobre finissant, Tancogne vidait ainsi les douze étangs du comte de Remilleret, et récoltait les alevins de l'été. Des grillages à mailles fines, entre des contreforts maçonnés, bouchaient de place en place le ruisseau d'écoulement sans arrêter le passage des eaux ; on en réglait le cours vers des bassins de tri, — des espèces de garages creusés sur les deux rives, — par un jeu d'empellements de fer, de portes grillagées qu'on levait ou baissait tour à tour. Et les hommes, dans l'eau de plus en plus bourbeuse, plongeaient leurs aveiniaux de soie, les ramenaient pleins d'alevins soubresautants, dont le grouillis emplissait l'air d'un grésillement convulsif et mouillé.

Ils les triaient, très vite, rejetaient sur le pré les perches d'Amérique, distribuaient les poissons dans les grands bidons de fer blanc ; ils y glissaient sans faire le moindre bruit ; mais quelquefois une panique les bouleversait, les jetait en cohue contre les parois de métal, qui résonnaient de légers chocs multipliés.

— Les goujons, disait Tancogne ; les blacks bass ; les ides... Dépêchons !

C'étaient des espèces fragiles, que la vase menaçait d'une asphyxie mortelle. Les blacks aux reins vert noir s'éclairaient tout à coup, dans l'eau fraîche, de lueurs pâles ; les ides roses qui bâillaient, souillés, se reprenaient à flamber doucement ; les goujons, ventre en l'air, viraient au bord des larges goulots, oscillaient une hésitante seconde, et, d'un coup de queue vif, les nageoires pectorales vibrantes comme des embryons d'ailes, piquaient du nez vers les ténèbres fraîches.

Les tanches, les carpes, plus résistantes, s'amoncelaient à même l'herbe du pré ; elles y faisaient des tas glissants, des mottes gluantes qui s'étalaient. Les hommes les prenaient à pleines mains et les portaient dans les bidons, plongeant leurs bras dans l'eau pour éviter de blesser les bêtes.

Les mains derrière le dos, le vieux Tancogne allait et venait. Ses yeux avaient des sautes rapides, dardaient de brefs regards auxquels rien n'échappait. Et sa voix rêche, trouée par le catarrhe, lançait des ordres aussitôt obéis :

— Mettez ! disait-il tout à coup.

C'était quelque gardon venu des rivières voisines, du Beuvron ou du canal, et qu'il venait d'apercevoir.

— Jetez !

Et c'était des vairons, verts et tigrés de

noir, des épinoches hérissées de piquants, négligeable fretin, vermine d'eau douce.

Souvent aussi on le voyait s'approcher sans rien dire, et du talon de son soulier écraser quelque chose dans l'herbe : un poisson-chat lisse et noir, dressant, de chaque côté de sa tête moustachue, deux petits glaives translucides.

L'eau de l'étang presque tari n'arrivait plus qu'à peine dans le ruisseau. Les joncs, les prêles, depuis deux jours inclinés par sa force, se redressaient avec des froissements insensibles ; de chaque côté du Bouchebrand apaisé, ils reprenaient leurs friselis monotone, abandonnés enfin de ce fort tremblement qui les avait secoués au long d'une lutte interminable. Par intervalles, dans le courant, quelque chose débouchait tout à coup : cela venait du conduit souterrain, gonflait l'eau d'un remous vivant. Alors un homme courait, une épuisette de filet au poing ; il fouillait à tâtons, se redressait soudain, arquant l'échine du geste d'un tâcheron qui soulève une pelletée de terre ; et dans l'épuisette émergeante se débattait une carpe monstrueuse, à soubresauts pesants et mous. Il y avait ainsi, dans chaque étang, tout un troupeau de bêtes énormes vouées à la production des alevins. On les reprenait chaque année en les dénombrant avec soin ; elles attendaient dans des bassins le retour des journées tièdes, l'instant de revenir, pour la ponte et la fécondation, dans les frayères aux fonds herbus.

— À l'étang ! dit Tancogne.

L'équipe des pêcheurs franchit la digue, descendit dans la Sauvagère. L'eau ne coulait même plus entre les plages de sable et de boue ; seules, des ornières sinueuses et nettes marquaient encore la trace de son passage. Mais le cours du Bouchebrand apparaissait bien mieux dans cette étendue grise et morne ; il venait de là-bas vers le sud, à travers d'autres étangs : ceux de Malvaux, le supérieur et l'inférieur, et celui de Bouchebrand, le dernier, derrière les marécages et les friches de bruyères, derrière les grands pins maritimes dont les cimes denses et sombres se pressaient sur le ciel de nuées blanches. Au milieu de l'étang, il contournait une île ovale bordée de petits aulnes en boule, sommée d'épicéas alignés, enfin gagnait la bonde où il disparaissait.

C'était là que les carpes étaient venues se rassembler. L'eau, par endroits, était si peu profonde que les reins des bêtes émergeaient, se pressaient côte à côte dans un moutonnement confus : et l'on cherchait des yeux le chien de ce troupeau. De temps en temps, l'une d'elles trouvait la tranchée du Bouchebrand ; elle remontait alors d'une nage forcenée, fonçant du nez, ouvrant la vase ainsi qu'un soc. On ne voyait plus d'elle que son sillage désordonné, et parfois sa nageoire dorsale, sombre et molle, large comme une main.

Les hommes de nouveau barbotaient, fouillant de l'épuisette à même la pesante cohue. Les manches des filets surchargés pliaient ; au choc des queues claquantes comme des battoirs, la boue jaillissait en fusées, projetait sur les visages des taches sombres qui durcissaient en croûtes. La plupart de ces carpes pesaient une dizaine de kilos ; chaque année, malgré l'accoutumance, les pêcheurs s'étonnaient de les revoir, plus épaisses encore, plus réellement énormes qu'ils ne se les rappelaient. Ils les allongeaient dans des caisses de bois, côte à côte ; trois ou quatre d'entre elles en garnissaient le large fond : elles restaient là, le corps inerte, clappant de leurs grosses lèvres rondes, bourrelets de peau blanche et charnue; les écailles de leurs flancs luisaient comme des plaques de métal ; elles soulevaient leurs joues sur leurs ouïes sanguinolentes, d'un mouvement rythmique et doux.

A force de bouleverser l'eau stagnante, de piétiner dans le même cercle, les hommes faisaient naître autour d'eux un marécage de boue liquide, une espèce de grande flaque pâteuse où leurs regards ne distinguaient plus rien. Souvent, leurs filets tâtonnants butaient à faux sur les corps des poissons ; ils les poursuivaient au hasard, les soulevaient quelquefois à demi, basculant sur le cadre de fer, et replongeant d'un bloc au milieu d'une gerbe brune. Souvent aussi ils chancelaient, saisis aux jambes par l'étreinte molle de la boue. L'un d'eux même, tout à coup, heurta en reculant l'un des deux petits murs qui s'écartaient à partir de la bonde, battit l'air de ses bras en détresse, tomba dans l'eau à la renverse. Il reparut, gluant, aveuglé par la vase : et il toussait, s'ébrouait, crachait, parmi les rires puissants des autres.

— Eh ben, Berlaisier, l'eau est bonne?

— T'avais soif, faut croire, vieil ami?

Bottereau, dit Berlaisier, s'était mis à rire lui aussi : il était de nature débonnaire, de muscles vigoureux et lents. Baucheton [1] dans les bois de Sologne, abatteur de chênes et de pins, il travaillait de-çà de-là, à l'embauche, suivait les batteries en été, et l'hiver tendait des collets. C'était l'hiver qu'il préférait, ses joies hasardeuses et rudes, mais profitables.

Il n'était pas le seul entre les pêcheurs de Tancogne : Créquine le savait bien, qui tant de fois avait « fait équipe » avec lui, par les nuits noires épaulant le fusil, tandis que Berlaisier agitait le grelot et promenait par chaumes et labours le faisceau clair de la lanterne. Une rude langue il avait, ce Créquine, un bat-

1. Bûcheron.

tant solidement accroché ! Cela surprenait davantage parmi ces hommes taciturnes et méfiants : non que Créquine eût moins de méfiance que les autres ; mais la langue lui démangeait trop, il ne pouvait la tenir en repos. On l'avait baptisé Sarcelotte, peut-être à cause de son caquetage aux sonorités nasillardes, plutôt à cause d'un flair particulier à ce chasseur de sauvagine, des colverts et des sarcelles qui hantent les roseaux des étangs.

Tous ces hommes d'ailleurs, petits pésans, bracos, aricandiers, parmi lesquels se recrutait une main-d'œuvre occasionnelle, avaient ainsi leur sobriquet, leur sornette comme on dit en Sologne. Volat, le grand Volat sec et blafard, aux yeux enfoncés creux sous un front dur comme caillou, on l'appelait par derrière Malcourtois. Il s'attachait à lui un peu de cette peur instinctive qui rendait muet Créquine lui-même à l'approche du fermier général : Volat était un des métayers de Tancogne, et son homme à tout faire, son espion, un chacun s'en doutait. Familier, oui, blagueur à l'occasion ; mais plus encore que ses rogues manières, on redoutait la bonhomie pateline et froide dont il s'accoutrait quelquefois : si malin que fût le grand Volat, on reniflait à son entour un relent de traîtrise qui invitait à la prudence ; un putois a beau être fin, il n'est pas libre de ne pas puer.

Tout en pêchant, il guettait des oreilles et des yeux. C'était quand il tournait le dos, quand il semblait distrait, absent, qu'il épiait avec plus d'acuité : et cela se sentait, étrangement. Plusieurs fois déjà, Sarcelotte l'avait interpellé :

— Hé ! Volat, surveille tes oreilles : elles remuent !

Malcourtois haussait les épaules et ne daignait même pas répondre : le Sarcelotte, malgré son œil finaud entre les paupières clignées, malgré son adresse au fusil, son échine souple, ses jambes véloces, avait plus de gueule que de vice : lui, Volat, le barrerait quand il voudrait. C'était un autre qui l'inquiétait, qu'il surveillait intensément, bien qu'il ne le regardât jamais. Cet autre-là, on ne l'appelait que Raboliot : à tel point qu'on avait oublié le nom de ses père et mère, qui était Fouques ; et jusqu'à son nom de baptême, qui était Pierre. Sa mère elle-même, la vieille Montaine, sa femme Sandrine ne l'appelaient que Raboliot ; une sornette qui était sienne depuis toujours, depuis les premiers mois de sa vie. Déjà futé, remuant, le corps fin, l'œil vif et noir, c'était bien vrai qu'il ressemblait à un lapin de rabolière [1], à un raboliot bien venu, de lignée sauvage et drue : lapereau sauvage, bête de bois, les broussailles étaient son do-

1. Rabouillère, nid de garennes.

maine, les « aronces » épineuses où il se coulait à l'aise, les longues friches où foisonnent les bruyères, breuvézes pourpres, breumailles rose tendre, et les couverts de grands genêts qui le cachaient, debout, tout entier.

Braconnier, parbleu, comme tout le monde l'est en Sologne, comme l'était défunt son père avant de finir tristement, des suites d'un mauvais coup de pied qu'il avait reçu dans le ventre. La vieille Montaine, ulcérée par ce souvenir, s'épouvantait maintenant pour son garçon ; Sandrine aussi pleurait souvent : les sacrées femmes ! Allez les empêcher de geindre ! Ce n'est qu'une gêne qui pèse sur le cœur, jusqu'à l'angoisse d'abord, et soudain jusqu'à la colère, avec ses mots et ses gestes violents. Si les femmes ne peuvent pas se tenir de pleurer, est-ce que les hommes sont maîtres de cet instinct qui les pousse vers la chasse, fils d'une terre giboyeuse où craillent le soir les faisans qui se branchent, où rappellent les perdrix dans les chaumes, où les lapins par bandes sortent des bois à l'assaut des récoltes ? Et si quelques hommes, plus riches, accaparent le droit à la chasse, s'ils défendent leur droit avec l'appui des lois, des gardes qu'ils paient et qu'ils arment, des gendarmes en uniforme, des policiers habiles à se grimer, est-ce qu'il n'est pas d'autres lois plus anciennes, qu'on chercherait en vain dans les codes, mais que les gars de Sologne connaissent bien puisqu'ils les sentent vivre en eux-mêmes dès que le poil leur pousse sous le nez, dès qu'ils éprouvent la chaleur de leur sang ?

Raboliot lui aussi travaillait à l'embauche : tout *ch'ti* qu'il était d'apparence, avec ses mains de femme, si menues qu'elles l'humiliaient, sa cognée frappait juste et raide au pied des arbres qu'elle besognait ; les éclats blancs volaient, pulpeux, frais de résine ; et les grands pins, à chaque coup, tremblaient du pied jusqu'à la cime. Avec un art fleuri d'aisance, Raboliot prélevait au pied la *débouture*, le tronçon de souche dure que l'usage reconnaît aux bauchetons de Sologne ; il l'allongeait, tranquille, à la mesure qu'il s'était fixée, selon sa loi et ses besoins : de quoi chauffer sa maison l'hiver, et celle de la vieille Montaine, et celle de Touraille son beau-père. Tant mieux, n'est-ce pas ? s'il en restait encore, assez pour faire quelque monnaie, juste le prix des cartouches nécessaires.

Aujourd'hui, il pêchait pour le compte de Tancogne. C'étaient des journées assez rudes pour que le vieil avare fut obligé de les bien payer, un travail plaisant, une riche occasion de s'instruire. Depuis trois jours qu'il promenait ses guêtres sur les terres de M. le comte, Raboliot n'avait eu garde de tenir ses yeux dans sa poche. Oh ! comme cela, sans avoir l'air... On peut bien repérer les grillages en bonne place, capter d'un sûr regard, comme d'un coup de filet, les sensations fécondes qui vous sollicitent de toutes parts, qui montent des labours et des friches, des étangs, des prés et des bois... Raboliot, sans fatigue, accroissait sa richesse : ce n'était pas une richesse consciente d'elle-même, un amas ordonné dont il pût dresser l'inventaire ; mais une richesse plus secrète et plus sûre tant elle était mêlée à lui. A sa mémoire toute sensorielle, il aurait demandé vainement des souvenirs décantés et limpides, quelque chose comme un plan des terres qu'il s'était annexées. Ses yeux, son nez, ses mains se rappelleraient pour lui, ses jambes qui par endroits avaient foncé dans le sable cendreux, glissé dans une coulée de glaise, raclé les épines des ronciers, son corps multiple et sans cesse vigilant, et la mémoire fidèle de son corps.

— A toi celle-là, Raboliot !

Les autres s'amusaient de son adresse infaillible. Debout au bord du marécage, les jambes enfouies jusqu'aux jarrets, ils avaient fini par interrompre leur besogne, par reposer leurs bras sur leurs épuisettes inutiles. Et ils regardaient Raboliot.

Lui marchait prudemment, l'aveiniau incliné : ses yeux, dans la flaque de vase trouble, percevaient le moindre remous, le moindre frisson vivant ; ses genoux immergés tâtonnaient, palpaient les frémissements de l'eau ; et tout à coup ses mains partaient, décochaient un geste vif, ramenaient une bête captive.

Il n'en manquait jamais une seule. Chaque fois qu'une carpe était prise, il la tendait dans la poche de filet, à bout de manche, vers l'un des hommes qui l'entouraient :

— Empoigne, Berlaisier, gros feignant !

— Porte celle-là, Sarcelotte ! Et cause pas en route avec elle !

Il riait, content de cette adresse dont il donnait le franc spectacle ; content surtout d'autres choses cachées, qui rayonnaient au-dedans de lui, pour lui seul, et qui lui dilataient le cœur.

— Hé, Malcourtois ! Je t'offre la prochaine!

Il était content, Raboliot. Le coup d'œil en coin de Volat l'avait chatouillé de bien-être : il l'avait appelé Malcourtois droit en face, ce grand cadavre ; et Malcourtois, enfin, avait bien dû le regarder... Hop là ! En avant les bras ! Une carpe encore, et pas la plus mince ! Il la tendait vers le grand Volat, le considérait, de bas en haut, avec une lueur dansante au fond des yeux. Et il songeait, plein d'allégresse : « Ne te gêne plus, mon gars ; regarde encore, arrœille-toi [1] bien ! La récolte est

1. S'arrœiller : fixer des yeux.

faite à cette heure, engrangée, à l'abri. Ah ! vieille pratique ! Ça n'est pas encore toi qui pinceras Raboliot ! »

Avec une astuce désinvolte, il attendit que Malcourtois se fût éloigné quelque peu. Ce serait à cette place juste, quand il passerait au droit de ce vieux pommier malade, que Volat se retournerait : une dizaine de pas à compter. Il les comptait, regardant l'échine maigre de l'homme, rétrécie davantage par le geste en avant des bras que raidissait le poids du gros poisson. « Cinq pas encore... Une crapule, Volat, pour sûr ; et désagréable à voir : quel dos malgracieux, quelles vilaines oreilles de sournois ! Plus que trois pas ; deux pas... » Raboliot se tourna vers l'ouest, feignit d'observer, là-bas, le bois de la Sauvagère, la lisière de chênes roux et de bouleaux jaunissants. Un tressaillement de joie subtile lui courut le long des reins : il s'était retourné, Volat ! Maître de soi, Raboliot contraignit ses yeux à trahir une gêne soudaine, le malaise d'un homme pris en faute ; cela dura moins d'une seconde, jusqu'à ce qu'il inclinât son nez vers l'eau trouble, et recommençât de pousser l'aveiniau.

Il exultait d'une joie gamine : « Bien joué ! Bien joué, petit ! Malcourtois, lancé, allait suivre le pied, mais de travers ; et le vieux Tancogne après lui, naturellement ; et sans doute le cousin Tournefier, avec sa plaque de garde-chasse... Volat, Tancogne, Tournefier, et les deux gardes du Bois-Sabot, probable ; et peut-être, qui sait, des gars du saint Hubert [1] : il y aurait du monde, cette nuit, au bois de la Sauvagère ! Cherchez bien, mes braves gens, poussez vos chiens, hardi ! C'est là que Raboliot doit avoir tendu ses collets : Malcourtois en est sûr ; il a surpris certain regard, tantôt... Mais pendant ce temps-là, Raboliot est ailleurs ; pas bien loin, non, pas bien loin. Ah ! le bougre ! Est-ce qu'il aurait le toupet, tout de même, de faire le grillage que voici, ici même, à toucher l'étang? Oui bien, il aurait ce toupet : dès cette nuit il amènerait sa chienne, Aïcha, la petite noire ; et les lapins tomberaient dans sa musette, à cinquante pas de chez toi, Tournefier. »

Il soulevait les dernières carpes comme il eût soulevé des alevins ; une bonne sueur chaude lui coulait sur la peau. Il riait à tous, gonflé d'une merveilleuse indulgence. Même Tancogne, même Volat, — et Dieu sait s'ils le dégoûtaient, — il éprouvait pour eux à cette heure une espèce de pitié bienveillante. Des gens venaient, par le chemin dû qui suit la chaussée de l'étang ; il y avait maintenant sur la digue toute une petite troupe d'hommes qui le regardaient pêcher. Parmi les autres, il reconnais-

1. Agents de la brigade des chasses.

sait les deux gardes du Bois-Sabot, et Malaterre le métayer de Malvaux, et Boissinot le fermier de Buzidan. Il s'épanouit, à voir de loin Touraille qui approchait en musardant, accueillit son beau-père d'un bonsoir retentissant. Touraille venait à petits pas timides :

— Je passais, expliqua-t-il. On m'a demandé à Chantefin pour un héron à empailler, une belle pièce, un héron pourpré.

Il salua à la ronde, se mêla au groupe des curieux. Il allait de l'un à l'autre, multipliant des questions discrètes : « Bien marché, cette année, l'alevinage ?... Et ces reproducteurs dont il avait entendu parler ? Gros comme des chiens, à ce qu'on lui disait ; mais va-t'en voir : on le prenait pour un berlaud. »

Comme Raboliot soulevait une carpe encore, il resta sidéré, à contempler un pareil monstre. On lui montra les autres, allongées dans les caisses ; et il hochait la tête, avec un air de stupeur vertigineuse. Enfin la voix lui revint ; il recommença de semer ses questions :

— Elles allaient crever, hein, si longtemps comme ça hors de l'eau ? Et il y en avait des pareilles dans tous les étangs du comte ? Arrièze ! Ça n'était pas possible... Est-ce qu'il pourrait en empailler une, des fois ? Ça devait pouvoir s'empailler aussi, ces bestiaux-là. »

Tasie, qui savonnait du linge près du chenil, abandonna sa selle et vint flâner du côté de l'étang. Et il y eut une autre femme, une brune au teint brûlé qui regardait les hommes en face, et que les hommes eux aussi regardaient, en se cachant du grand Volat. A vrai dire, elle n'était pas belle, cette Flora, plate du corsage et noire comme une taupe ; mais elle avait une souplesse de drageon, et des hanches qui mouvaient sous ses cottes à vous pousser le sang au cœur. Volat n'avait pas tort d'être jaloux : elle le trompait, quasi, avec chaque homme qu'elle regardait, tant il y avait dans ses prunelles d'instinctive provocation, de sensualité complice, brûlante comme braise.

Et c'était Raboliot qu'elle aguichait ce soir. Lui s'en amusait un brin, troublé tout juste à fleur de poil, car il aimait bien Sandrine ; troublé pourtant, comme les autres mâles. Et puis, la jalousie évidente de Volat l'excitait, ses regards pâles, froids comme des lames. Sans cette fureur glaciale de l'homme, la Flora en aurait été pour ses agaceries de chatte folle: et des « Monsieur Raboliot » par-ci; et des sourires par-là, des dents blanches et mouillées sous le retroussis rouge des lèvres, des frôlements en sourdine, avec ces yeux toujours brûlants, à la sûre perdition de cette âme de femelle.

A un moment, Sarcelotte s'approcha :

— As-tu des feuilles ? demanda-t-il à Raboliot. Les miennes sont mouillées.

Il prit le papier à cigarettes que lui tendait son camarade ; et tout bas, très vite, sans presque remuer les lèvres :

— Prends garde, souffla-t-il... Il n'a pas de bons yeux, Malcourtois.

Raboliot eut un geste insouciant, fanfaron un tantinet. Mais pour la première fois le sentiment d'un péril véritable, le planement d'une menace assombrit le ciel de sa joie. C'était peut-être, aussi, ce soir d'automne et sa tristesse. Les nuées loqueteuses pendaient plus bas encore, certaines jusqu'à toucher la terre, traînant un lent crachin qui offensait la peau. Au midi, vers Bouchebrand, les grands pins maritimes étaient noirs ; une mélancolie pauvre montait des friches abandonnées, insidieusement s'éployait sur la plaine, où les vieux chênes des plaisses [1], têtiaux sans branches, trognards aux troncs caves et rugueux, dressaient leurs formes mutilées sur le lacis fuligineux des haies. Il y avait dans l'air des tournoiements de feuilles lasses, détachées on ne savait de quels bouleaux, et qui venaient se poser une à une dans le lit de la Sauvagère, s'éteindre au toucher de la boue.

Une voix retentit tout à coup :

— Eh bien, Tancogne, nous y sommes ?

Le ton était ensemble cordial et autoritaire.

1. Haies buissonneuses, en bordure des champs.

Ils reconnurent la silhouette du comte de Remilleret, ses longues jambes grêles, arquées par l'habitude du cheval.

— Oui, Monsieur le comte, dit Tancogne.

On entendait le heurt des caisses que l'on chargeait, le brinqueballement sonore des bidons de fer blanc.

— Vous ferez préparer un saladier de vin chaud, Tancogne.

Les hommes remercièrent. Derrière la charrette cahotante, ils partirent. Enervé d'une longue attente, le mulet tirait à plein collier, piquant le sable de durs coups de sabot. La petite troupe s'enfonça très vite au lointain de l'allée rectiligne, disparut dans le blême crépuscule.

Il n'y eut plus à la Sauvagère que l'égouttis claquant de l'œillard, le tournoiement muet des feuilles. Sur l'herbe du pré, les perches d'Amérique étaient mortes ; elles jalonnaient le cours du ruisseau de petits tas inertes et déjà pourrissants.

II

Deux coups furent frappés au volet ; un court silence suivit, et trois autres coups s'égrenèrent. Trochut, dit Bec-Salé, reposa sur la table l'*Impartial de la Sologne*, et traversa la salle de l'auberge. Chaussé d'espadrilles, le pas mou, il était si gras et pesant que les lames du parquet geignaient dès son approche. Dans la pièce ténébreuse et vide, son souffle graillonnait avec de menus sifflements.

— C'est toi, Raboliot?

— Oui.

Trochut déverrouilla la porte. Raboliot apparut, la tête encore tournée vers le dehors.

— Aïcha ! Là ! Là ! ma belle.

Une chienne entrait sur ses talons, une petite bête sans race, fille de corniot [1] : elle était noire comme une nuit de lune nouvelle, avec une seule touffe blanche dans le pelage lustré du poitrail. Ses yeux, au cœur de l'om-

1. Chien bâtard.

bre louche, accrochèrent le reflet de la lampe qui brillait dans l'arrière-salle, phosphorèrent une seconde d'une chaude et rousse lumière.

— Il y en a? dit Trochut.

— Faut croire, puisque je suis venu.

— Beaucoup?

— Quatorze.

Le receleur alla chercher le lumignon. Ils passèrent en silence dans un réduit qui tenait à la salle d'auberge, bas de plafond, écrasé encore par moitié sous la caisse d'un escalier. Trochut posa la lampe par terre ; ils s'agenouillèrent à côté, et Raboliot, un à un, tira les lapins du sac.

— Pas trop gros, hein ! dénigra Trochut.

Il les soupesait, les tâtait, les flairait avec des grimaces de dégoût.

— Pris de ce matin? demanda-t-il.

— Tous.

Il les allongeait flanc contre flanc, rigides, le ventre immaculé, le bout des pattes jauni par la crotte des terriers.

— Je t'en donne trois francs pièce, Raboliot.

— Quatre francs, Bec-Salé ; c'est le prix.

— Et le risque pour moi, dis donc...

Ils discutèrent, nez rapprochés, à répliques basses et rapides. De temps en temps, Aïcha se glissait contre son maître, coulait le museau sous sa main.

— Couche, Aïcha !

Il la repoussait sans la voir, machinalement, tout entier à défendre son dû contre l'âpreté de Trochut.

— Couche là, donc !... Vas-tu coucher !

Il s'interrompit tout à coup, se tourna vers la petite chienne. Elle se tenait raide sur ses pattes, le poil de l'échine soulevé, le mufle droit tendu vers la porte d'entrée. Ses babines, froncées, découvraient ses crocs éclatants, et elle grondait tout bas, avec des spasmes d'abois retenus.

Raboliot, d'un bond, s'était dressé. Il empoigna Trochut aux épaules, lui plongea au fond des yeux un regard anxieux et dur. Le gros homme soutint ce regard ; il chuchota d'une voix pressante :

— Ça n'est pas moi, Raboliot, je te jure.

Et il répéta, appuyant sur les mots :

— Je te le jure... Ma grand'foi !

— Ouvre derrière... Vite ! jeta Raboliot.

La porte de l'auberge détona sous un choc violent.

— Au nom de la Loi ! fit une voix, du dehors.

— Ça n'est pas moi, haletait Trochut. Non, non, ça n'est pas moi.

— Je m'en fous bien ! grogna Raboliot.

Il poussait Bec-Salé vers l'arrière-salle, où il savait qu'une porte bâtarde donnait sur le potager. Ils s'arrêtèrent ensemble, médusés : derrière cette porte aussi, quelqu'un bougeait, à l'affût ; ils étaient à ce point immobiles qu'ils percevaient à travers le vantail le souffle de l'homme qui attendait. Trochut avait éteint la lampe.

— Au grenier ! murmura-t-il. Tu sauteras par la lucarne.

Ils reculaient déjà, lorsque la porte de l'auberge claqua brutalement, grande ouverte. Il y eut une seconde suspendue, où tourbillonnèrent des pensées en rafale : « Le verrou ! songea Trochut. Le verrou que j'avais oublié de remettre !... » Raboliot eut le temps d'entrevoir, sur le rectangle de nuit pâle, la silhouette d'une tête que coiffait un képi. Au claquement de la porte, ç'avait été en lui comme un effondrement ; mais à peine eut-il vu cette tête et ce képi, il aperçut du même coup, entre cette tête et le chambranle, le trou plongeant vers la nuit vaste, la passée libre qui l'appelait. Il s'élança vers elle, s'y engouffra, plié dans sa course, comme un lapin qui force une ligne de rabatteurs. Au passage, il éprouva la poussée molle d'une jambe, et le déplacement d'air, à son visage, d'un coup furieux, lancé à vide. Aïcha, touchée sans doute, avait eu un glapissement étouffé ; mais il se rassurait maintenant de l'entendre trotter près de lui.

Tout en fuyant, il épiait les bruits nocturnes : rien que le vent à ses oreilles, et le heurt contre terre de leurs deux courses confondues. Il s'arrêta, écouta davantage : rien vraiment ; les cognes ne l'avaient pas suivi.

Alors il s'appuya contre le mur d'une maison, et laissa s'apaiser les battements de son cœur. Avec le calme, une grande tristesse l'envahissait, humiliée, amère à sa gorge. A peine avait-il savouré l'ivresse d'être hors de péril, cette mauvaise honte poussait en lui son âcre flot, le soulevait d'une nausée presque physique : « Un rude gars, oui, Raboliot ! Et qui avait tôt fait de perdre tout ensemble ses idées et son courage !... Et ça se croyait braconnier ! » Il revenait surtout à cet instant où la porte s'était ouverte, où il avait senti drôlement que tout son être se vidait, que son crâne était vide, que son cœur n'avait plus de sang ; où il n'avait gardé conscience que d'une chose : le tremblement de ses genoux. Il s'était ressaisi, c'était vrai ; presque aussitôt, c'était vrai encore ; mais il ne pouvait pas se pardonner cette défaillance totale qui l'avait anéanti, une seconde. « Feignant ! Feignant ! Ah ! Bon à rien ! »

Etait-ce contre lui-même qu'il invectivait à mi-voix, contre le gros Trochut, cette canaille qui l'avait vendu ?... Trochut ? Il avait juré sa grand'foi ; il lui avait semblé sincère. Un autre, alors? Mais quel autre? Et il revit la face du grand Volat, ses yeux glauques et glacés, leurs mauvais regards.

— Aïcha !... Doucement, petite.

Preste, il avait sorti une cordelette de sa poche, la passait au collier de sa chienne, la nouait aux lattes d'une clôture. Un fossé se trouvait là, encombré d'herbes folles, de broussailles retombantes. Il prit entre ses mains la tête d'Aïcha, la regarda de près, en lui parlant :

— A terre ! Doucement ! Restez là !

Sa paume pesait sur le crâne de la chienne, avec une force à la fois rude et tendre. Il la coucha, rasée, dans le fossé, la maintint un instant, sans la toucher, sous le geste de son bras étendu :

— A terre ! Doucement... Silence !

Et il reprit sa course droit vers la maison de Trochut.

Tout cela n'avait guère duré : il ne s'était pas sauvé loin, s'étant tôt aperçu qu'on ne l'avait pas poursuivi. Ses impressions, ses pensées, pour violemment qu'elles l'eussent secoué, s'étaient précipitées très vite. Déjà il atteignait la maison de Trochut.

Il l'avait abordée par le pignon de l'ouest, où justement donnait la lucarne du grenier. Une treille robuste se cramponnait au mur : il l'empoigna, grimpa, tirant des bras, pesant sur le crépi du bout de ses espadrilles, avec l'agilité silencieuse d'un chat. Il s'était maintenant retrouvé : chaque effort de ses muscles lui rendait davantage la conscience de lui-même ; au bourdonnement des voix qu'il distinguait dans la maison, à la lueur de certaine clarté, entr'aperçue de la lucarne ouverte et qui filtrait à travers le plancher, il éprouvait la souplesse de ses sens, leur docile alacrité.

Dans le grenier, il se coula vers cette raie de clarté verticale. Il glissait à plat-ventre, appuyé sur ses paumes, sans qu'on entendît un frôlement. Il colla son œil à la fente lumineuse, et regarda.

Trochut était encore dans la grande salle de l'auberge. Il avait rallumé la lampe. Trois gendarmes l'entouraient : il y avait le chef de brigade Dagouret, le vieux Boussu, et un autre qui était arrivé au pays depuis peu. C'était celui-ci justement qui avait entrepris Trochut : il le tenait par les épaules et le regardait droit aux yeux, comme l'avait regardé Raboliot tout à l'heure. Son visage tendu, éclairé d'en bas par la lampe, montrait de durs méplats tout luisants de clarté jaune ; sa petite moustache rousse flambait, troussée en crocs sous les narines.

— Je l'ai vu, disait-il à Trochut. Quand il a passé dans mes jambes... Puisque je l'ai reconnu, je te dis !

Bec-Salé, accoté des reins à la table, détournait à demi la tête sous le regard appuyé du gendarme. A chaque mot, il avait de brefs soubresauts, comme si des coups l'eussent frappé. Rien de cinglant, en effet, comme la voix de cet homme : une voix qui ne s'élevait guère, mais dont le timbre pénétrant blessait la chair et faisait mal.

— Un traînier, monsieur Bourrel, je vous jure... Quelqu'un qui n'est pas du pays.

Bourrel. Il s'appelait Bourrel, ce merle bleu. Raboliot le voyait mieux maintenant, ne le quittait pas du regard, le contemplait avec avidité. Quelle figure était-ce là, nom de goui ? Qu'est-ce qu'elle avait d'extraordinaire, cette figure ? Raboliot le cherchait vainement, s'étonnait à la fois de trouver ce visage pareil à tant d'autres visages, et de ne point pouvoir se retenir de le scruter, prisonnier d'un pénible attrait. Les yeux ? Ils étaient clairs, d'un gris pâle et bleuté autant qu'il lui semblait de loin : eux aussi, ils étaient pareils à bien d'autres. Le nez, sec et coupant, n'était point laid à regarder, de dessin plaisant au contraire. Alors, la moustache rousse ? Mais il ne manquait point de roussiaux par le monde ; Berlaisier était un roussiau, ça ne l'empêchait pas d'être bon gars. Non, c'était autre chose, qui ne tenait à rien, à aucun trait visible, qui venait du dedans de l'homme : une expression complexe, intense, presque agressive, d'obstination, de brutalité courageuse, de méchanceté involontaire. Raboliot, s'il ne pouvait l'analyser, éprouvait tout cela avec une force qui l'émouvait à fond ; toutes sortes de puissances troubles fermentaient dans ses artères, lui battaient aux poignets et aux tempes, se soulevaient, pour lui, contre cet homme. Arrièze ! Qu'est-ce qui allait donc se passer ?

Il frotta de la main ses paupières brouillées, pesa sur le plancher, les deux bras étendus, de son ventre et de sa poitrine.

En bas, Bourrel avait lâché Bec-Salé. Il comptait les lapins allongés sur la table, en plein dans la lumière de la lampe. De la poche de son dolman, il tira un calepin, un crayon.

— Ça va, dit-il froidement. C'est Trochut, n'est-ce pas, que tu t'appelles ? Tes prénoms, maintenant... allez ! vite !

Il écrivait debout, le calepin appuyé sur sa paume. Tout en dictant, Trochut, par intervalles, s'interrompait d'une voix gémissante : « Pauver' moué !... Heula faut-i' ! » Et il poussait d'énormes soupirs qui faisaient trembloter ses épaules.

Brusquement, Bourrel rougit. Raboliot, stupéfait, le vit lancer le calepin sur la table, marcher, les poings serrés, sur le gros homme qui recula.

— Nom de Dieu ! cria-t-il. Qui est-ce ? Qui

est-ce? Je veux savoir ! Tu parleras, cochon, ou je te casse la gueule !

Il y avait eu, dans son élan, tant de rageuse véhémence, que les autres gendarmes s'étaient avancés eux aussi. Le vieux Boussu, de la main, toucha le bras de Bourrel.

— Hé là ! Hé là ! fit-il doucement.

Bourrel tressaillit au contact, secoua son bras avec violence, comme si Boussu l'eût empoigné. Et il criait plus fort, la face maintenant toute blanche, secoué de fureur :

— Quoi ! Quoi ! Qu'est-ce que c'est? Y a-t-il eu délit, oui ou non? Le braconnage est-il un délit, oui ou non? Et le recel, hein, nom de Dieu? Alors c'est comme ça, Boussu, que tu comprends ton métier? Pas d'histoires? Bien vu de tout le monde? Eh ! bien le monde, je l'ai au cul ! Je fais mon métier, moi, Boussu! Je suis gendarme, moi, Boussu !...

De nouveau, il marcha sur Bec-Salé :

— Je suis gendarme, tu entends, crapule ! Et je te l'apprendrai si tu veux faire le mariolle! J'ai les tribunaux derrière moi, peut-être; avec la prison à la clef... la prison, tu entends, salaud!

Trochut montrait un visage de panique, décomposé par la terreur. Il s'écria, suppliant, dans un dernier recours à ses astuces de trafiquant marron :

— Si je vous le disais, hein? Est-ce que nous serions quittes, si je vous le disais?

— Dis toujours, fit Bourrel.

Ses yeux brillèrent. Toute sa fureur sembla tomber soudain. Trochut alors reprit confiance, et dans l'instant se mit à marchander.

Raboliot frémissait tout entier, de l'effort qu'il faisait pour rester immobile, pour ne point leur crier à travers le plancher les injures qui le suffoquaient ; un méchant froid lui courait sur l'échine ; il ne sentait plus sous ses doigts, au lieu du plancher rêche et dur,qu'une espèce de mollesse cotonneuse.

— Eh bien, oui, là ! disait Bourrel. Donne-le, et je ferme les yeux.

— Sûr, au moins ?

— Sûr !

Trochut lâcha avec tranquillité :

— Raboliot.

Ça y était ; c'était ainsi que de pareilles choses arrivaient. Rien n'était plus simple, n'est-ce pas ? Raboliot, doucement, se souleva sur les poignets. Il était soulagé, il voyait clair, ça faisait du bien de voir clair.

Bec-Salé était un lâche, oui ; et ce Bourrel une brute, un ennemi dangereux qu'il ne ferait pas bon rencontrer sur sa route. Raboliot le saurait désormais. Et il y avait Volat aussi, Volat qui l'avait dénoncé : encore une vérité limpide, une rude et tonique certitude. Peu lui importait de savoir, pour l'heure, comment Volat avait été prévenu de son passage chez

Trochut. Dire qu'il y avait eu un moment, dans l'auberge, où il avait soupçonné Trochut lui-même ! Comme si Trochut, qui vivait des bracos, eût risqué pareil jeu pour manger à deux râteliers ! Bec-Salé n'était rien d'autre qu'un capon, une dégoûtante masse de graisse, privée de nerfs, vide de sang. Mais Volat ; mais Bourrel... Allons, c'était temps de partir.

Il ne put s'empêcher, auparavant, de regarder encore à la fente du plancher. Un sourire lui plissa les paupières : parbleu ! il en aurait parié dix bouteilles ! Bourrel avait repris son calepin, et posément verbalisait contre Trochut. Double aveu, Bec-Salé ! Même quand on est malin, vois-tu, il ne faut pas se dégonfler de peur. Mais ce Bourrel, tout de même, c'était une vache.

Raboliot regagna la lucarne. Suspendu par les mains, ses jambes ballantes cherchèrent la treille, retrouvèrent son appui rugueux. Il se laissa glisser sans bruit, reprit terre, et fila au petit trot vers le fossé où il avait laissé Aïcha.

III

Son allègement avait été précaire. Lorsqu'il retrouva sa chienne, il était de nouveau plein de trouble : le dégoût l'avait secoué trop fort ; l'indignation montait, devenait maîtresse de toutes ses pensées.

Elle étouffait en lui jusqu'au sentiment du danger qu'il courait ; ou bien, s'il pressentait vaguement la menace de ce danger, s'il flairait son approche rôdeuse, ce n'était que pour s'indigner davantage contre ceux qui l'avaient attaqué, contre les forces dures auxquelles il s'était heurté, et dont ces hommes étaient les apparences sensibles.

Ah ! ceux-là, par exemple, il les voyait ! Pendant qu'il marchait au hasard, l'escorte était nombreuse qui l'accompagnait dans la nuit : il y avait les trois gendarmes, leurs dolmans bleus, leurs képis à visière brillante ; un cliquetis sautillait avec eux, de gourmettes ou d'armes, ou de menottes. Les pommettes saillantes du roussiau surgissaient dans les ténèbres, éclairées en-dessous par la lampe de

Trochut ; il les revoyait s'empourprer tout à coup, et puis pâlir, blanches de fureur : pour sûr, Bourrel était un homme coléreux... Et Volat paraissait à son tour, avec ces regards qu'il avait, près de la Sauvagère, quand la Flora faisait ses mines. Et le vieux Tancogne encore, surveillant les pêcheurs, allongeait son index pointu, mâchait des boules de gomme, et crachotait.

Assez, donc ! Il pressait le pas, comme poursuivi. Est-ce que c'était un acte si monstrueux, de tendre au bois quelques collets, que cela vous jetât dans les chausses pareille horde d'ennemis ? Jusqu'à ce jour, Raboliot n'en voulait à personne : s'il tendait des collets, s'il allait la nuit au grillage, ou au perché, ou à la chandelle, ça n'était pas seulement à cause des sous qu'il y gagnait, lui qui avait femme et drôles ; n'était-il pas baucheton aussi, et pas manchot ? Tantôt dans les pineraies et dans les boulassières, tantôt à la suite des batteuses, il n'était pas en peine d'aligner de bonnes journées, de nourrir toute sa nichée. Mais le plaisir, hein ? Mais ce besoin de chasse nocturne qui vous empoignait tout à coup, comme ça, parce qu'il pleuvinait dans les ténèbres épaisses, parce qu'il faisait clair de lune, parce qu'il avait neigé ? Du ciel familier, des terres natales, des appels mystérieux vous arrivent, des voix secrètes et connues, mille présences persuasives et qui vous tirent, comme avec des mains, hors du lit.

Voilà : tous ces gens ne savent pas. Comment est-ce qu'il saurait, Bourrel, que le clair de lune est quelqu'un, que son visage se montre à la fenêtre, se glisse à la fente des volets ou brille par terre sur le carreau ? Que le zinc d'une gouttière tintant aux gouttes de la pluie égrène une chanson parleuse ; et que le vent qui passe à la cime des pineraies, c'est une grande voix autoritaire à laquelle il est vain de vouloir désobéir ?

L'hostilité de tous ces gens lui apparaissait dérisoire, leur conjuration imbécile. Pour lui, cela ne changerait rien à ce qu'avait été sa vie ; cela serait une gêne peut-être, un harcèlement importun, comme celui d'une nuée de taons, dans les bois, par un jour d'été orageux : il secouerait les taons, voilà tout.

Mais le moyen de ne pas s'énerver contre ces bourdonnements qui dansent, contre ces attaques impalpables, et ces piqûres à l'improviste que l'espace même semble darder ! Raboliot continuait, en marchant, de secouer les épaules et la tête. Assez ! Assez ! Son énervement grandissait, et son trouble. Par moments il souhaitait échapper à la poursuite de ces images exaspérantes ; et par moments son sang s'échauffait, une ardeur batailleuse le poussait à leur tenir tête, à les provoquer hardiment : approche un peu, Bourrel, que je contemple tout mon saoul tes yeux durs, ces yeux dont le regard faisait trembler Trochut ; mais Trochut est un lâche, et je me sens ce soir tout durci de hardiesse courageuse.

Cette hardiesse à la fin prévalait. Quand on est Raboliot, on ne s'embarrasse pas de raisons compliquées, telles qu'en ont les notaires, les juges de paix, les traîne-paillasses [1]. Il y a simplement des choses que l'on ne comprend pas, dont on ne peut pas tenir compte : qu'est-ce que c'est que le droit à la chasse ? Il y a l'instinct de la chasse, le besoin de chasser selon le temps et la saison, d'obéir aux conseils éternels qui vous viennent de la terre et des nuages, aux ordres clairs qui se lèvent en vous-mêmes, qui montent en vous avec la même lenteur paisible que la lune blanche sur les champs. Le cœur se met à battre, plus fort mais sans désordre ; une angoisse légère vous point au creux de la poitrine, pareille, un peu, à celle de l'attente amoureuse. Tant mieux si les hommes s'en mêlent, si l'attrait du danger vient à surgir à cause des hommes ! On en avait besoin : les bêtes des sillons et des bois ne vous peuvent donner que leurs ruses craintives, depuis longtemps connues et vaines. On avait besoin, sans le savoir, de jouissances plus

1. Les huissiers.

dangereuses et plus âpres : et voici que d'elles-mêmes elles se jetaient vers vous. Tant mieux ! On allait s'amuser !

Il avait marché au hasard, tout entier à sa houleuse rêverie. Il s'arrêta, pour maintenant réfléchir et décider de ce qu'il allait faire. Il était descendu vers la rive de la Sauldre ; l'herbe mouillée des prés transperçait ses espadrilles ; la brume étale dans la vallée l'enveloppait jusqu'à la poitrine, il y baignait comme dans un lac frais. Autour de lui, des files de peupliers émergeaient de cette blancheur nacrée, des têtes rondes de saules qui vivaient d'un frisson innombrable, presque immobile. Ce lui fut une joie d'y plonger tout son corps, de voir disparaître à ses yeux les lignes d'arbres, et surtout, à sa droite, cette masse de lourds décombres que sommait une flèche aiguë : les maisons du village serrées autour de leur clocher.

Il s'était assis à même l'herbe ruisselante, le dos appuyé à un trognard de saule, puissant et creux ; par intervalles, des chutes imperceptibles glissaient aux profondeurs de l'arbre ; Raboliot le sentait vibrer, contre lui, du travail acharné et menu des larves.

Qu'est-ce qu'il allait faire, à présent ? « Dis-moi, mon Aïcha, qu'est-ce que nous allons faire ? » La chienne noire, couchée à son côté, se blottissait dans sa chaleur, collait le flanc contre sa hanche ; elle s'abandonnait peu à peu, la tête dans le giron de l'homme, s'y endormait, tiède et doucement pesante.

Si Raboliot eût été bien en peine de plier son esprit au jeu des idées générales, il y trouvait à son service une aisance merveilleuse pour la conduite de ses actes. Cela ne lui coûtait aucun effort ; l'enchaînement de ses actes prochains se déroulait en lui à partir d'une donnée initiale, toujours la même, si spontanée qu'elle cessait d'être un artifice : il se voyait, lui, Raboliot ; et il se disait à lui-même : « Eh bien, va, mon garçon. Allons, va ! » Et ce double allait, en effet, sous les regards de Raboliot ; et Raboliot prenait bien garde de le troubler jamais, lui qui sans hésiter savait tout ce qu'il fallait faire. S'il le guidait pourtant, avec une ingéniosité subtile, il n'en avait nullement conscience : la démarche de ses combinaisons mentales, pour facile et déliée qu'elle fût, échappait à son investigation.

« Allons, va ! » Il se voyait rentrant en hâte dans sa maison. Il fallait bien prévenir Sandrine, au cas où les gendarmes viendraient avec le jour, pour une enquête : les mots qu'il dirait à Sandrine, il s'entendait déjà les prononcer. Il fallait attacher Aïcha dans sa niche : et déjà la chose était faite... Après ? Il y aurait après une petite lieue à trotter, du village jusqu'à la ferme du Bois-Sabot, où couchaient cette nuit Berlaisier et Sarcelotte : de vrais camarades ceux-là, des solides, des sûrs, des poteaux. Trois phrases échangées suffiraient : « J'ai couché ici cette nuit, hein ! Je n'ai pas bougé de toute la nuit. » Et ils auraient compris d'avance.

Il se leva, fit le tour du village de crainte que quelqu'un l'aperçût, un maraudeur, un vieux sorti pour pisser à son seuil, un boulanger à son pétrin ; il faut compter avec tous les hasards. Heureusement, sa maison n'était pas dans le gros du bourg, non plus que celle de Trochut : pour un braco, pour un marchand de gibier clandestin, c'est plus commode d'avoir l'espace libre à sa porte. Trochut habitait vers le sud, près de la route qui va vers Sainte-Montaine ; Raboliot juste à l'opposé, sur la route de l'Aubette qui monte vers le canal et qui plonge plus loin dans les bois. Cela lui permettait de regagner son gîte sans traverser les rues dangereuses : il avait ses passages à lui, ses coulées à travers les plaisses, ses clôtures de grillage à la mesure de son enfourchure, et ses repères dans les jardins, pour les nuits noires où les yeux vous trahissent. Il se méfiait des terres meubles où le pied marque, suivait les talus herbeux, recherchait aussi les routes dures, où l'on file raide à l'occasion, et dont l'empierrement de silex ne garde point d'empreintes durables.

Il dépassa les dernières maisons de l'Aubette, un hameau qui prolonge le bourg, longea le jardin de Touraille, son beau-père : il eut pour le vieil homme une pensée amusée, songeant à l'effarement qu'il aurait s'il savait Raboliot près de son jardin à cette heure, et la raison de cette promenade nocturne. Encore deux maisons isolées, deux jardins clos de haies vives : il n'avait plus maintenant qu'à rejoindre la route, en contournant la dernière haie.

— Aïcha ! Hop-là, petite !

La chienne franchit le fossé la première. Elle avait sauté carrément ; il la voyait, debout au milieu du chemin, qui l'attendait en remuant la queue ; rassuré, il sauta à son tour. La lune venait de se lever sur leur droite, atteignant juste, au bout des champs encore enveloppés de ténèbres, la cime d'un bois taillis où quelques chênes surgissaient çà et là : leurs ramures, à contre-clarté, noircissaient sur le ciel laiteux. L'espace s'était dégagé de ses nuées ; il n'y traînait plus que de grandes pannes blanches et molles, entre lesquelles s'approfondissaient des trous sombres, piquetés d'étoiles. Et Raboliot songea : « Encore une demi-heure, il fera bon pour le grillage. »

Il arrivait à sa maison : une petite maison oubliée là, une ancienne demeure de briques à pans de bois, couverte de tuiles, comme il n'en est plus guère en Sologne. La lune brillait assez déjà pour qu'on pût distinguer, dans la blancheur des lits de mortier, la tranche des briques superposées, leurs hachures en diagonale dont les nuances évoluaient souplement, d'un rose tendre et charnel à des rouges vifs de coquelicots, à des pourpres assourdies, bleutées d'encre. Raboliot poussa la porte ; elle résista, fermée au verrou. Alors il appela :

— Sandrine !

Il y eut aussitôt, de l'autre côté, comme le bruit d'un sursaut, des froissements vifs, la chute molle d'une chaise chargée de hardes. Et la porte s'ouvrit.

Raboliot entrevit la forme blanche de Sandrine. Il la prit dans ses bras, la serra contre lui, chaude et nue sous la rude chemise. Elle frissonnait.

— C'est toi ! murmura-t-elle ; c'est toi !... Sainte-Vierge, qu'est-ce qui est arrivé?

Il s'efforça de rire, de dissiper avec son rire l'angoisse dont elle frissonnait :

— Mais rien, voyons ! Dire que te voilà encore, toute à l'envers... Retourne au lit, tu attraperais un chaud-ferdis.

Elle obéit, exhalant des reproches plaintifs :

— Qu'est-ce qu'il y a? Qu'est-ce qu'il a fait? Ah ! Raboliot, mauvais diable, c'est sûr que tu me porteras en terre !

Il s'y attendait bien un peu, mais n'y voulait point penser d'avance. Et maintenant, il y était ; il s'enfonçait en plein dans cette tristesse intolérable. Volat, Trochut, Bourrel, tous les autres, ils ne comptaient plus guère à cette heure. C'était la tristesse de Sandrine qui était grave, ses plaintes presque enfantines qu'il lui fallait encore entendre, et qui pesaient lourd sur son cœur. Ah ! le mauvais chemin à suivre, les mêmes pierres aux mêmes durs passages, et qui meurtrissent les mêmes blessures ! Il semble que ce soit un rêve, tout jonché d'obstacles hargneux, de fondrières et de cailloux. Raboliot doit passer, parce qu'il y a là-bas, tout au bout de l'affreux chemin, quelque chose qu'il doit atteindre ; et il part, et il va, et toujours surgissent d'autres obstacles, et le chemin s'enfonce, s'enténèbre, écrasé de rocs en surplomb.

Il regardait autour de lui, cherchait des yeux dans la pénombre les choses réelles qui étaient là, et qui faisaient partie de son destin. La salle tenait toute la maison, sauf un petit cellier où l'on descendait par trois marches, et qui servait aussi de laiterie. Au milieu du carrelage de briques, la table s'allongeait, massive, avec deux ou trois chaises et quelques escabeaux autour ; les autres meubles étaient poussés contre les murs chaulés : à gauche la maie de merisier, qu'une horloge dans sa gaine, au cadran fleuri d'enluminures, séparait du bureau[1] à ferrures. En face, dans l'angle de droite, le lit de Raboliot et de Sandrine, un lit à quenouilles encourtiné de cretonne bleue et blanche, bombait sa paillasse et sa couette entre ses quatre pieds massifs. Il y avait du même côté un second lit un peu plus petit, lui aussi demi-clos de courtines, et où dormaient Edmond et Léonard, qui avaient cinq ans et quatre ans ; Sylvie, la dernière-née, une drôline de treize mois, reposait dans sa berce au pied de la couche maternelle.

Les volets étaient mis aux fenêtres ; mais par la porte vitrée du jardin le clair de lune pénétrait dans la salle. Un large rayon flou se diffusait à travers les ténèbres, et les choses, une à une, s'animaient d'une existence étrange, d'une réalité douloureuse. Au-dessus du bureau, sur un rayon du vaisselier, Raboliot distingua quelques livres, de vieux bouquins loqueteux d'avoir été souvent feuilletés, des almanachs campagnards, des Clés des Songes, de mauvais romans populaires. Il haussa les épaules : elle lisait beaucoup, Sandrine ; et cela ne lui valait rien. Nerveuse, impressionnable, elle croyait à toutes ces histoires, cherchait dans ce maudit fatras l'explication des rêves qui lui venaient, se rongeait de pressentiments. Pauvre Sandrine ! De bon sens elle

1. Bahut.

n'avait plus guère, de tranquille jugement, épais et franc comme pain chaud. C'était cela pourtant qu'il aurait fallu à Raboliot, une gaillarde décidée, de poigne assez solide pour le saisir au fond de la culotte s'il lui prenait fantaisie de filer ; mais pas cette douceur de Sandrine, ces reproches gémissants, cette faiblesse aimante et qui ne savait que pleurer.

Raboliot était seul pour lutter. Les meubles dans la salle mi-obscure, le souffle des enfants endormis, même les larmes de Sandrine, ce n'était que les éléments d'un combat qu'il menait seul contre lui-même ; c'était lui, Raboliot, qui avait à compter avec ces formes de sa misère : lui seul, quand il avait tant besoin d'aide !

Et puisqu'il savait bien, d'avance, qu'il ne pouvait point triompher, ces obstacles lui étaient seulement à souffrance ; une hâte le prenait de les franchir plus vite, de les écarter brutalement. Il s'approcha du lit de Sandrine, saisit ses poignets minces et se pencha vers elle :

— Ecoute ! chuchota-t-il. Peut-être qu'au matin tu verras les gendarmes... Oh ! ne pleure pas, bon sang ! Il n'y a rien, trois fois rien : une affaire de lapins chez Trochut, et qui ne me regarde même pas... Il ne faut pas qu'ils sachent que j'étais au bourg cette nuit, voilà tout... J'étais au Bois-Sabot, tu entends ? Tu ne m'as pas vu depuis hier matin.

Son visage était si près de celui de Sandrine qu'il en distinguait la pâleur, les yeux agrandis par l'angoisse, les lèvres qui tremblaient, entr'ouvertes.

— Sainte Vierge ! gémissait-elle. Qu'est-ce que nous allons devenir ?

Il était navré de détresse à la voir ainsi malheureuse ; mais en même temps une colère le prenait, une rage contre leur impuissance :

— Tais-toi ! dit-il rudement. Ne m'accrassine pas, Sandrine ! Me voilà frais, avec celle-ci qui pleure encore ! C'est bon : quand les habits bleus viendront, tu te jetteras à leurs genoux et tu leur demanderas pitié ! Si je vais jamais en prison, je saurai bien à qui je le devrai !

Elle se raidit sous l'étreinte de ses mains.

— Oh ! mauvais ! reprocha-t-elle.

Mais il la souleva vers lui, menue, légère, et colla sa bouche à la sienne. Tout de suite elle céda au baiser, offrit son corps, sous les couvertures chaudes, aux mains qui la parcouraient toute. Il respira soudain très fort, les reins fouettés, pris d'une fringale de se dévêtir à son tour, de l'étreindre à pleins bras, chair contre chair, d'oublier leur peine à tous deux dans une caresse qui mêlerait leurs deux êtres. Il se détacha brusquement ; Sandrine, vibrante encore, l'implorait avec une tendresse câline :

— Reste ici, mon petit homme.

Elle tendit ses bras nus et les lui noua au

cou. De nouveau il leur cédait, laissait tomber sa tête au creux moite de l'épaule ; sur son oreille, les lèvres de Sandrine chuchotaient, tièdes et mouillées :

— Ne *le* fais plus [1], mon chéri. Pour les petits, pour moi qui serai tant heureuse, ne le fais plus !

La tête de Raboliot, serrée dans ce collier de chair, tourna doucement de droite et de gauche :

— Je voudrais bien, Sandrine... Ah ! pour sûr, je voudrais bien.

— Alors ? continua-t-elle. Dis, Raboliot, pourquoi le fais-tu ?

La nuque de l'homme pesait de bas en haut, d'une pression lente et continue, et qui toujours appuyait davantage ; les bras de Sandrine glissèrent, puis ses mains ; ses doigts à la fin furent dénoués, et son épaule sentit le froid de cette tête en allée.

Raboliot se tenait debout près de la couche, la poitrine un peu haletante. Comme ç'avait été facile, ce geste qu'il venait de faire ! Rien qu'en pesant à peine, d'une force si hésitante, si molle... Et voici qu'il était debout, debout et seul, avec ce poids accru dans la poitrine, ces élancements, au cœur, de meurtrissures douloureuses... « Dis, Raboliot, pourquoi le

1. Ne braconne plus.

fais-tu ? » Il ne parlerait pas, non et non ! A quoi bon parler ? Les mots ne peuvent servir à rien, qu'à meurtrir davantage encore, à empirer le mal qui existe. Il souffrait bien assez déjà ; chaque minute de plus dans cette salle, près de ce lit, serait une mauvaise minute. « Pour moi, Raboliot, pour les petits... » Voilà des mots ; on les a entendus trop vite, on continue maintenant de les entendre.

Raboliot reculait pas à pas. Derrière les vitres de la petite porte, la nuit était fraîche aux paupières, d'une transparence allègre et bonne ; Raboliot regardait les vitres. Dans la salle, l'air confiné s'embarrassait d'une touffeur un peu aigre ; les ténèbres pesaient dans les angles, en écroulements épais et mous ; et les meubles qui çà et là s'en dégageaient semblaient peiner, lassés, arrêtés à moitié d'une impossible évasion.

— Adieu, Sandrine !

Il s'était évadé d'un seul coup. Il respirait dehors, à longues goulées, un air si abondant et vif qu'il en suffoquait un peu ; l'air lui entrait au plus profond de l'être, coulait avec son sang, baignait chacune de ses fibres. C'était comme une ivresse légère, une espèce de folie bienveillante qui le soulevait tout entier : l'allègement d'un cauchemar qui vient de passer, qui n'est plus.

La lune haute laissait ruisseler aux pentes

du ciel d'amples ondes de clarté huileuse. Les champs moissonnés, les labours ondulaient avec une souplesse retenue, et qui semblait aux yeux une sorte de toucher velouteux. A leur limite, vers l'est, les taillis s'étendaient sous la vigile des grands chênes : ils s'infléchissaient largement vers le nord, épaississaient leurs masses profondes, en vagues confondues que l'on sentait houler très loin. Là-bas étaient le canal de la Sauldre, Buzidan, la Sauvagère... Vite, vite, Raboliot ! Il frémissait de cette griserie subtile ; une fois encore, il atteignait le bout de l'écrasant chemin ; et la chose était là, qui l'appelait sans trêve et qu'il allait enfin saisir.

— En route, petite !

Tandis qu'il détachait sa chienne, il sentait sur ses mains sa langue chaude. Par intervalles, une oppression furtive lui traînait encore sur le cœur, un souvenir sans force, une dernière pierre qui roule derrière celui qui est passé, et tombe avec un faible écho. Qu'est-ce qui te prend, Raboliot, à cette heure? Voilà que tu détaches ta chienne? Et pour quoi faire, hein, pour quoi faire?

Il savait bien, parbleu, que ça n'était pas raisonnable. Et après ! N'être pas raisonnable, c'était de cela, justement, qu'il avait besoin à cette heure ! Il ne se sentait pas encore libre. Il en avait trop lourd à secouer.

— En avant, petite !

Déjà il était sur la route, allongeait dans l'herbe du bas-côté des foulées à demi fléchies, élastiques, rebondissantes. Ses espadrilles ne faisaient aucun bruit, non plus que les pattes d'Aïcha qui filait à son flanc, le nez bas, d'un petit trot coulé et diligent. Pas d'autre bruit que la voix de l'homme, de loin en loin, son chuchotement de joyeuse impatience :

— On y va, dis ? On y va, ma belle ?

IV

Ce fut une bonne marche que celle-là, dans la nuit large et fraîche où brillait le soleil des loups. Les bois, très vite, avaient rejoint la route. Raboliot, Aïcha marchaient dans la ligne d'ombre qui ourlait le taillis ; à leur gauche, des éclats de silex luisaient parfois sur la chaussée ; à leur droite, à travers les branches dépouillées, des taches de lune tombaient qui par endroits s'élargissaient en flaques, entre de petits chênes encore noirs de leurs feuilles, tenaces au delà de la mort.

Ils franchirent le pont sur le canal, une large allée d'eau blême, une tranchée sans fond béante aux entrailles de la terre, où bougeaient des reflets, où les images des bouleaux plongeaient de longs rayons tremblants, plus pâles que les rayons de lune.

De grandes clartés étales s'élargissaient à la surface des champs bleuâtres. Elles dormaient, inertes, d'un étrange sommeil éveillé, pareilles à d'immenses yeux par où la terre, vaguement, aurait contemplé le ciel. La route montait, redescendait, sans heurts, suivant les mouvements tranquilles des glèbes. Les taillis s'éloignaient peu à peu ; des prés ras accueillaient les regards entre les lignes sombres des plaisses; et des pineraies surgissaient çà et là avec la senteur des résines, les unes toutes proches et laissant voir le ciel entre les troncs noirs clairsemés, d'autres massant au loin de lourds carrés sombrement immobiles.

— Une nuit d'or, mon Aïcha !

Cette nuit-ci était d'or parce qu'il faisait clair de lune. Mais pour un vrai braco, les nuits d'or sont nombreuses en hiver. Cela dépend du flair de l'homme, de sa souplesse à saisir, en chaque nuit, la complicité qu'elle vous offre : noire et venteuse, la nuit aurait appelé le falot du lanternier ; brumeuse et pâle, bruissante de pluie fine sur la jonchée des feuilles, elle aurait guidé le chasseur vers les grands arbres où les faisans perchés posent des ronds noirs sur les branches ; neigeuse, elle l'aurait conduit à la lisière de quelque bois, en telle place de bon affût d'où l'on voit les lapins et les lièvres boultiner [1], affamés, sur la friche blanche.

Au fil de cette marche légère, les souvenirs de nuits d'or s'égrenaient en la mémoire de Raboliot. L'heure savoureuse s'enrichissait

1. Trottiner en tous sens, cherchant nourriture.

de toutes les jouissances passées ; chaque pas, chaque sensation l'exaltaient avec chaque souvenir ; la présence d'Aïcha se mêlait à cette joie, l'attendrissait d'une tiédeur d'amitié.

— On en a fait, tous les deux, ma jolie !

Il se tournait un peu vers elle ; et elle levait la tête sans cesser de trotter, remuant la queue, muette toujours. Ils descendaient avec la route ; au creux des terres, devant eux, une buée pâlissait sous la lune, légère, suspendue, transparente ; des joncs lisses y luisaient faiblement, des roseaux y trempaient leurs panaches, de grandes massettes la traversaient de leurs quenouilles à pointes aiguës. Ils approchaient, pressentant devant eux un gouffre de clarté stagnante, l'une de ces larges lueurs glacées qui dormaient, immobiles, par l'étendue. Tout près, à toucher la route, un rang de petits saules tendit un entrelacs de branches, s'entrouvrit tout à coup, démasqua l'échafaud d'une bonde profilé, raide et noir, sur la plaque fluide de l'eau.

C'était l'étang de Buzidan, cerné de labours inclinés par delà une foisonnante ceinture d'herbes. Au bord des pentes, des pineraies se dressaient sur le ciel ; et l'on voyait aussi dans une large échancrure, sur le faîte d'une butte un peu plus haute, les bâtiments plats d'une ferme et des meules rondes éparses sous leur coiffe, tassées comme d'énormes bolets.

Raboliot prit à travers champs et se mit à monter vers la ferme. Dans les roseaux qu'il frôlait au passage, nulle vie ne s'émouvait que celle des feuilles froissées ; les judelles se cachaient aux profondeurs du fourré aquatique ; il n'y eut rien qu'un oiseau terne, au vol bas, qui se leva devant eux sans un cri : quelque petit butor sans doute, troublé dans sa solitude. Ils l'entendirent longtemps après pousser sa clameur étrange, son beuglement mélancolique.

De corne en coin, ils traversèrent une pineraie de maritimes. Des coupes anciennes n'avaient laissé là que de beaux arbres espacés, entre lesquels jouait la lumière et flottait un air libre, baigné d'aromes. Raboliot aspirait les odeurs de la nuit, celle des pousses vertes, celle des essences légères que diffusait la sève, et celle des feuilles tombées qui feutraient l'humus gras ; et il sentait passer, aussi, l'odeur des champignons soulevant du chapeau la jonchée des aiguilles, une autre odeur encore, imperceptible, où se mêlaient un relent de suie froide et des fumets vivants d'étable et de porcherie. Il évitait les souches blessantes, parfois heurtait du pied une pomme de pin écailleuse et sèche qui roulait en grelottant, ou bien sentait, sous sa semelle, s'écraser une russule croquante, un lactaire mou qui suintait.

— Doucement, Aïcha !

Ils atteignaient la ferme de Buzidan, ses longs bâtiments aplatis sous leurs toits rongés de lichens ; à une fenêtre de la maison des hommes, une vitre scintillait sous la lune.

— Doucement ! Doucement...

Il y avait des chiens, à la ferme. Il y avait aussi le fermier Boissinot, dont le sommeil était léger : possible que Boissinot n'eût pas été fâché de savoir Raboliot en campagne ; possible aussi qu'il eût mal accepté, pour purger ses champs des lapins, cette aide qu'il n'avait point requise ; Raboliot, en tout cas, préférait le laisser dormir. Du fagotier aux rouleaux de grillage, des rouleaux à la haie du jardin, de la haie du jardin aux meules, il sautait vite, Aïcha dans ses jambes. Il s'arrêta enfin tout au faîte de la butte, dans l'ombre propice du pailler, s'accorda une minute de répit, juste le temps de prendre le vent.

Il découvrait de là une vaste étendue de pays. Devant lui, au bas de la pente inclinée vers le midi, l'étang de Buzidan s'étalait sur le bord de la route. Il la voyait très bien, la route, mince, onduleuse, collée aux terres ; au delà d'autres étangs luisaient vers l'ouest, moins mystérieux d'être ainsi dominés, semblables maintenant à de grands miroirs mats, de contours précis, presque durs. Raboliot les nommait en lui-même : Hardillat, le Gué de la Guette, Chanteloup... Vers la gauche des étangs, dans la direction du canal et du bourg, c'étaient les champs des Communaux ; il y promena ses yeux, cherchant les trois petites fermes pareilles, et les trouva l'une après l'autre. Il fut content : en vérité cette nuit était belle, et cette lumière clémente qui lui livrait ainsi toutes les parcelles de son domaine. A la droite des étangs, les bois recommençaient, cachant la route sous leur marée ; ils déferlaient en lames confuses depuis l'extrême horizon, depuis les halliers sauvages de Tremblevif à des kilomètres de là, et traversaient le climat de Chanteloup, et rejoignaient la Sauvagère.

Raboliot se tourna vers le nord ; de ce côté encore, la butte de Buzidan dominait de larges espaces, des centaines d'hectares de pays : d'abord une plaine cultivée, qui par des friches de bruyères, des landes chevelues de genêts rejoignait elle aussi le bois de la Sauvagère : par delà le bois, invisibles, c'étaient des landes et des bruyères encore, des prés que baigne le Beuvron, et les terres de Chantefin qui viennent toucher, vers l'est, les terres du Bois-Sabot.

Les regards de Raboliot s'en allaient à travers la campagne, ici, puis là, sans flâner jamais. C'était le nord surtout qui les appelait, la plaine de Buzidan, le bois de la Sauvagère, le creux éteint laissé par l'étang mis à sec. Il repéra les épicéas de l'île, la grande allée qui file, du sud au nord, entre la métairie de Malvaux et la maison de la Sauvagère : Malaterre, à Malvaux, devait dormir. Mais Tournefier ? Probable qu'il n'était pas chez lui, Tournefier, que Tasie devait coucher seule.

Un vif coup d'œil encore vers l'est, jusqu'à une butte semblable à celle de Buzidan, et qui était la butte du Bois Sabot. C'était trop loin pour qu'il pût distinguer les bâtiments pressés là-haut, la ferme où gîtaient cette nuit Berlaisier et Sarcelotte, la maison des gardes, et celle du comte de Remilleret, une ancienne ferme vaste comme une caserne, accommodée en demeure de maître. Le comte ne l'habitait que l'été, et quelques jours de loin en loin pendant la saison des chasses. Le vieux Tancogne y logeait toute l'année : célibataire, il avait là une chambre et un bureau ; la femme d'un garde lui servait ses repas sur le coin de sa table de travail, après avoir repoussé un peu les paperasses qui l'encombraient.

Raboliot savait tout cela. Il n'était pas un homme, en cette campagne que ses yeux embrassaient, dont il ne connût l'habitat, dont il ne pût conjecturer, à telle heure de jour et de nuit, où il était, ce qu'il faisait. Le cœur de son domaine, en cet automne finissant, c'était cette vallée sombre qui se creusait entre les hauts de Buzidan et du Bois-Sabot, et que suivait le Bouchebrand invisible. Dès la queue de la Sauvagère, au bord du marécage encombré de rubaniers et de roseaux, des plaisses touffues se dressaient en écran ; et des sapinières les suivaient, impénétrables aux regards. Là-dedans, quelque part, l'étang de Bouchebrand se cachait au creux des bois, pressé d'aulnes et de bouleaux, cerné de ronces et de broussailles mêlées aux joncs qui s'y baignaient. Là-dedans aussi se dérobait la chaumine de Volat, une métairie abandonnée ; le grand Volat y vivait comme un loup, avec sa garce, la Flora, et la fille de Flora, la Delphine, une drôline de dix ans qu'elle avait eue d'un braconnier ; mais celui-là, il y avait cinq ans qu'il était en prison, et il n'était pas près d'en sortir : un nommé Miloroux, dit Bœuf-Gras ; ça n'était pas un mauvais bougre, bien sûr, mais il savait maintenant ce qu'il en coûte d'avoir le sang chaud, et le prix d'un coup de fusil lâché à la figure d'un garde.

Malvaux, Bouchebrand, la Sauvagère... Du sud au nord, d'un étang à l'autre, le ruisseau de Bouchebrand coulait vers le Beuvron parallèlement à la grande allée. Raboliot suivrait le ruisseau : l'allée passait trop près des maisons, trop près surtout du bois de la Sauvagère qui devait être malsain à cette heure. Il eut à cette pensée un rapide sourire, en même temps qu'un frisson lui courait à fleur de peau, le fouettait d'une bonne excitation.

Avant de reprendre sa route, il parcourut des yeux, une dernière fois, la campagne ensommeillée. Sous l'ample ruissellement de la clarté lunaire, les terres reposaient avec leurs étangs et leurs bois. On ne sentait glisser nul souffle ; un silence extraordinaire, léger, serein, flottait par toute l'étendue ; pas un cri de nocturne en chasse, pas un appel de courlis ; Raboliot n'entendit, comme il descendait la pente, qu'un petit choc net sur le sol : un lapin qui tapait de la patte, ayant sans doute éventé sa présence.

Il se sentait maintenant tout à fait libre. Ce qu'il faisait, il le voulait faire ; la joie qui s'émouvait en lui, il l'accueillait de son plein gré, il l'appelait à chaque seconde, résolu à n'en laisser rien perdre. C'était une joie qui jaillissait avec une force généreuse. Il ne s'en étonnait nullement ; il ne s'inquiétait pas d'en pénétrer la cause ; il était content, pourvu qu'il pût offrir son visage à l'air vif, qu'il marchât en silence avec Aïcha près de lui, qu'il exerçât ensemble la finesse avide de ses sens, son instinct de chasse et de ruse, qu'il accomplît précisément les actes qu'il accomplissait : la joie naissait, jaillissait d'elle-même ; il était sûr que de cette nuit, de tout ce qu'il ferait cette nuit, ne pourrait naître qu'une joie toujours plus riche et plus grisante.

Dans les prés gorgés d'eau, les mottes de glaise tremblaient avec un petit bruit spongieux ; au bord d'une fontaine qui luisait à travers des touffes d'herbes, il arracha une poignée de cresson, l'écrasa sous ses dents, tiges et feuilles, heureux de cette acidité brûlante qui giclait dans sa bouche et lui râpait la langue. Le Bouchebrand fut franchi sur une passerelle de planches jetée là par le grand Volat ; sa maison était proche, close de toutes parts, sombre et tassée sous un vieux merisier qui de ses branches touchait le toit. Raboliot, tout à coup, songea à la Flora ; il évoqua les mouvements de ses hanches, le feu hardi de ses prunelles : et la pensée lui vint qu'elle était seule puisque Volat, sûrement, rôdait avec les gardes au bois de la Sauvagère. Il n'alentit point ses pas, mais sa gorge se serra un peu, et le sang lui chauffa les joues.

S'il avait voulu, tout de même? Il souriait en marchant, joyeux aussi de cette évocation : puisqu'il n'avait pas voulu ! Mais au passage, par jeu, il doubla de très près la maison, et de nouveau, un peu plus fort, sa gorge se serra et le cœur lui battit.

— Doucement, Aïcha !

Il allait du même pas rapide, mais tous ses sens épiaient, en alerte. Dans ce qui tout à l'heure n'était rien que silence, il distinguait des frôlements furtifs, un trot léger sur des feuilles sèches, un froissement de plumes dans les branches d'un pin : Aïcha, Raboliot ne s'arrêtaient point pour si peu, pour un putois en maraude, pour une caillasse [1] troublée dans son sommeil. Au pied d'un chêne isolé dans une lande, la petite chienne huma le vent ; un geste de son maître l'arrêta court, comme déjà elle s'élançait. Raboliot lui cingla le museau, tandis qu'un gros oiseau filait bas sur leurs têtes, le cou tendu, avec un long sifflement d'ailes qui s'enfonça dans la nuit comme un cri.

— Nous n'allons pas aux canards, Aïcha !

Elle avait compris. Elle se tint désormais sur les talons de l'homme, sans s'émouvoir aux tressaillements de l'air, aux odeurs vivantes qui passaient, aux envols de ramiers surpris. Raboliot, à présent, marchait en bordure d'une pineraie, tout droit vers une allée que jalonnaient des arbres alternés, des épicéas, des pommiers. Un claquement d'eau venait à leur rencontre, de plus en plus net et fort : Tancogne n'avait pas fait boucher l'œillard de la Sauvagère.

L'étang vide se creusait à leur gauche ; une fadeur de vase en montait ; l'île ovale, au milieu, paraissait surélevée sur ses berges desséchées. Ils avançaient toujours, cachés

1. Une pie.

dans l'ombre des pins, de petits arbres, mais très serrés. Raboliot, le jour même, avait vu qu'ils étaient très serrés ; il n'oubliait jamais ces choses-là.

Lorsqu'il toucha l'allée, il marqua un bref arrêt : le temps exact, blotti sous un épicéa, d'explorer d'un coup d'œil sa rigide perspective, sa pâleur sablonneuse égratignée d'ornières.

On ne sait pas toujours d'avance ce que peut vous livrer un regard. Presque sans le vouloir, il avait vu aussi la maison de Tournefier, et le chenil clos de grillages où s'alignaient les tonneaux des trois chiens. Il avait même entr'aperçu, près du chenil, deux formes sombres qui bougeaient, deux silhouettes humaines côte à côte.

La main posée sur les reins d'Aïcha, il regarda intensément : les deux hommes, là-bas, ouvraient la porte du chenil, détachaient un chien colossal qui se mit à bondir autour d'eux.

— Paix, là, Dévorant !

Raboliot reconnut la voix de Tournefier. Il l'entendit qui ajoutait :

— N'ayez pas peur.

L'autre homme, grêle et courbé, s'était écarté d'instinct. Tournefier, le buste penché, mettait en laisse le molosse ; l'autre alors se rapprocha.

C'était Tancogne. Raboliot continuait d'écouter, mais rien ne lui parvenait plus, qu'un chuchotement incompréhensible ; il distingua pourtant, tout à coup, la voix aigre du régisseur :

— Eh ! tant mieux s'il n'est pas commode !

Les deux hommes s'éloignèrent, dos à l'étang, vers le bois de la Sauvagère.

— A nous deux, Aïcha ! dit Raboliot.

Son excitation venait de croître soudain, de s'enfler en un sursaut puissant : il avait du vice, le vieux ! C'était bien de lui, arriéze, cette idée de lâcher Dévorant, un policier belge au poil jaune, au mufle charbonneux, une bête féroce qui pouvait étrangler un braco ! Tournefier n'aurait jamais fait ça pour une simple histoire de collets, pour rien. Raboliot, heureux quoi qu'il dût arriver, suivait par la pensée les deux hommes rentrant au bois, y rejoignant les gardes et ce grand carcan de Volat ; et ses souhaits les accompagnaient avec une bonhomie sincère : « Bonne chance, petits ! Raboliot vous emmerde. »

Il ne gaspilla plus son temps. En quelques pas il traversa l'allée, toucha de la main un grillage. C'était là, juste au-dessus des bassins de tri : un grand champ de mauvaise culture, envahi d'herbes, où l'on avait laissé pourrir quelques fanes de sarrasin. Il enfourcha la clôture, et pour aller plus vite passa Aïcha dans ses bras ; elle frémissait, les narines battantes :

— Allez ! Allez !

Il l'avait lâchée ; elle était partie à fond de train, galopant le long du grillage. Il y eut aussitôt, en tous sens, des piétinements menus, affolés, et tout à coup un choc grattant de griffes, un cri effilé, suraigu. Raboliot marcha vers sa chienne, noire et boulée contre le treillis, les ongles plantés raides en terre, un lapin pantelant dans la gueule.

— Allez ! Allez !

Aïcha desserra les mâchoires. Elle repartait déjà, pendant que Raboliot, pattes d'une main, oreilles de l'autre, disloquait d'une traction appuyée la colonne vertébrale du lapin. Et dans l'instant cela recommença : les fuites désordonnées, le choc sourd de la chienne se ruant contre le grillage, freinant des pattes et labourant le sol, et le cri suraigu du lapin capturé. Raboliot ne courait pas : il avait fort à faire pour soutenir l'allure d'Aïcha ; mais il prévoyait chaque fois le point juste où elle allait bondir ; dès que les crocs entraient dans le poil, la main de Raboliot était là. Dans sa musette de toile, les petits cadavres chauds s'amoncelaient ; la bretelle commençait de lui tirer fort sur la nuque.

— Allez ! Allez !

Une nuit d'or, une besogne bien faite ! La

petite noire avait le diable dans la peau. Étrangement muette, elle virevoltait, fonçait soudain en flèche vertigineuse, bondissait à travers le champ ainsi qu'un ténébreux follet. De temps en temps, par-dessus l'épaule, Raboliot regardait vers l'ouest, vers la maison du garde et le bois de la Sauvagère. Et cependant ses mains n'arrêtaient pas de travailler, arrachaient à la gueule d'Aïcha les lapins qui gigotaient, empoignaient les oreilles et les pattes, et tiraient : les vertèbres fragiles craquaient, la bête pesait, inerte et molle, comme une loque tiède. Au sac ! Il y en avait déjà sept ou huit, et la noire galopait toujours, et Raboliot l'encourageait toujours, d'une voix basse et pressante, poussée raide entre les dents :

— Allez ! Allez !

Contre sa hanche, le grillage, quelquefois, tremblait. Les petits cris, pointus comme vrille, retentissaient de-çà de-là. Et Raboliot murmurait, exultant : « Si ça couine, bon d'la, si ça couine ! » Qu'est-ce qu'il y avait, qu'est-ce qu'il pouvait y avoir de meilleur au monde ? Il chassait dans la nuit, avec pour compagnon le halètement chaud d'Aïcha, sa forme ardente et sombre et ses bonds meurtriers. Chaque piaulement de détresse lui pénétrait au fond de l'être, lui faisait basculer le cœur. Au sac ! Au sac ! Il gardait contre ses paumes la sensation de ce poil palpitant, il continuait d'entendre le craquement de ces os grêles, d'éprouver dans sa chair à lui le petit déclenchement qui les disloquait tout à coup, les arrachait les uns des autres. De la joie? C'était bien autre chose ! Une soûlerie capiteuse, un vertige de bonheur qui lui enflait la poitrine, qui lui montait en rire à la gorge. Et les gaillards, là-bas, qui fouillaient les taillis de la Sauvagère, qui le guettaient à la Sauvagère ! Demain matin, pas plus tard, ils verraient dans ce champ les empreintes d'une vaillante petite chienne, les traces griffues de ses élans, — allez donc, allez, Aïcha ! — et des touffes de poils gris collées encore aux mailles du grillage. « Et c'est moi qui suis venu ; c'est bien moi, moi, Raboliot ; mais va-t'en voir demain si je reviens, Volat ! »

Au lointain du bois, vers l'ouest, un jappement rauque éclata tout à coup, se brisa en glapissement de chien battu. Raboliot riait : « Des chiens ! Ils appellent ça des chiens ! » Sa main flattait les longs poils d'Aïcha, ses flancs moites qui haletaient : « Nous en avons pris douze, ma belle ! Nous avons rudement bien travaillé ! » Elle levait vers lui sa tête fine, ses yeux tendres, mouillés d'amitié. Il lui abandonna ses mains, les lui laissa lécher un instant.

— En route !

Il allait à présent, au plus vite, gagner la ferme du Bois-Sabot. Il réveillerait Berlaisier, Sarcelotte, et leur dirait les mots qu'il fallait dire. Pour Aïcha un seul mot suffirait, rien qu'une syllabe, chuchotée en lui montrant la route : « Va ! » Et elle rentrerait seule, poussée par le vouloir du maître : elle avait l'habitude ; dans un quart d'heure, elle serait à sa niche.

Raboliot s'étira, tendit son front au toucher de l'air froid, ouvrant le col lui offrit sa poitrine. Le vertige qui l'étourdissait tomba ; et il sentit en lui, aussitôt, son vrai plaisir, orgueilleux et dur. Il se tourna vers le bois de la Sauvagère ; et des pensées lui venaient une à une, qu'il sentait s'échapper de lui, qu'il voyait s'enfoncer aux ténèbres, droit vers le bois, ainsi que des pierres lancées roide : « J'ai chassé ; j'ai bien chassé. Les lapins que j'ai tués font craquer ma musette et pèsent à mon épaule... Et maintenant je m'en vais, parce que je veux m'en aller, parce que j'ai fini ce que je voulais finir. »

DEUXIÈME PARTIE

I

Le vieux Tancogne, sans avoir frappé, poussa la porte de Volat.

— Bonjour, dit-il, tout sec.

Il demeura debout sur le seuil, un peu gêné par l'odeur de crasse qui l'assaillait, et tâtonnant des yeux à travers la pénombre.

— Bonjour, monsieur Tancogne.

La Flora le saluait avec humilité ; mais c'était plus fort qu'elle : tout près du vieux, elle le regardait en-dessous, à travers ses cils noirs ; et ses prunelles brûlaient du feu hardi dont elle n'était point maîtresse.

— Vous vous siéserez ben deux minutes ?

— Où est Volat ? dit Tancogne.

— Dans le guernier, à quérir des haricots... Va-t'en le chercher, Delphine.

Rien ne bougeant, elle haussa le ton :

— Eh ben, Delphine, mauvaise gale ! Es-tu sourde, qu'il me faut crailler à tue-tête ? Ou veux-tu une calotte, des fois ?

Vers l'âtre sans feu, noir de suie, une petite forme remua, tandis que s'élevait une voix acide, à la fois craintive et coléreuse :

— J'y vas ! J'y vas !... En voilà un train ! [1]

Delphine était déjà dehors, sans qu'ils eussent rien vu d'elle que sa frêle et furtive silhouette. La Flora s'excusa :

— C'est tout ch'ti, monsieur Tancogne, plus malicieux que ça n'est gros... Mais siésez-vous donc, à la fin !

Tancogne, sans répondre, gagna la porte, guetta l'échelle du grenier. Presque aussitôt Volat y apparut, l'air d'un homme que l'on dérange mal à propos : il allongea le cou, promena un regard circonspect ; mais lorsqu'il aperçut Tancogne, il descendit très vite, empressé.

— Si nous allions vers l'étang ? dit le vieux à haute voix. Il y a ces fissures à boucher, vous savez... Boissinot a dû vous apporter de la glaise au matin ?

Mais à peine eurent-ils fait quelques pas, il baissa la voix tout à coup :

— Vous avez vu ? demanda-t-il, hargneusement.

— Le champ de la Sauvagère ? fit Volat.

Il avait incliné la tête, le front tailladé de plis durs. Il l'inclina encore, sans rien dire, pour répondre à une question nouvelle de Tancogne :

1. Un bruit.

— C'est lui, hein ?

Ils étaient parvenus au bord de l'étang de Bouchebrand. L'eau sombre n'avait pas un frisson. Sauf du côté où se tenaient les deux hommes, les bois pressaient l'étang, l'étouffaient, l'envahissaient. Des ronces, des chênes en taillis, de petits aulnes foisonnaient sur les berges en avant des bouleaux et des pins, se mêlaient aux roseaux jaunissants ; des paquets d'algues d'un vert boueux, striés de tigelles lie-de-vin, s'étalaient à la surface, figés dans une immobilité molle ; des plaques de nénufars se touchaient bord à bord, avec une rigidité froide de métal. Entre elles l'eau était noire ; des reflets de bouleaux la sabraient de hachures verticales, d'un blanc crayeux et violent.

— Alors ? dit Tancogne.

Ils se comprenaient à demi mot. Même, c'était leurs silences qu'ils entendaient le mieux. Entre Volat et Tancogne existait un pacte tacite, aux clauses multiples et délicates, de ces clauses qu'un papier officiel ne pourra jamais mentionner. Ils se connaissaient bien l'un l'autre : c'était là, pour des hommes de leur trempe, le meilleur contrat, le plus sûr.

— Alors ?

Le grand Volat réfléchissait. L'affaire qui l'occupait à cette heure, elle était sienne, il s'y était voué farouchement. Tancogne était derrière lui, car son intérêt l'y poussait : il n'en fallait pas davantage pour qu'il se passionnât à son tour.

Aux yeux de ces deux hommes, il était naturel et souhaitable qu'il y eût un braco sur les terres de Remilleret ; les invités du comte, ses gardes, ne suffisaient pas à la tâche. Une destruction bien entendue, efficace, discrète, voilà de bonne besogne, et lucrative à qui se l'adjuge : Volat détruisait les lapins.

Au collet, au furet, au grillage, il les prenait pour le compte de Tancogne, qui les vendait sous main, à son profit. Un Tancogne connaît la vie : à la Motte-Beuvron, à Romorantin, à Paris, il a des relations utiles, des amis qui agissent plus volontiers qu'ils ne bavardent, ce qu'on appelle des intelligences. Mais il lui faut sur place un braconnier, un gaillard assez fin pour détourner les surveillances à moins qu'il ne passe au travers, assez secret pour travailler seul, assez rude pour qu'on le craigne : un Volat.

Il y avait cinq ans que Tancogne l'avait installé à Bouchebrand. Pour le monde, il était métayer, cultivait en effet quelques terres à l'entour de sa bicoque : des canadas [1], du sarrasin, ce qu'il fallait pour attirer et pour retenir le gibier. Il vivait de la dîme qu'il pré-

1. Topinambours.

levait sur ses captures, et que Tancogne, honnête, lui accordait implicitement, car il savait aussi fermer les yeux.

En vérité, c'était Tancogne qui avait la plus belle part : outre les immédiats profits d'argent que lui valaient les talents du braco, il avait trouvé en lui le meilleur de ses gardes-chasse. Volat était un braco ombrageux et jaloux. La retraite même où il vivait, ce site sauvage de Bouchebrand, des histoires qui couraient sur son existence passée, son aspect rêche de malcourtois, ses allures glaciales, inquiétantes, tout cela suffisait à faire le vide autour de lui, à éloigner la concurrence. On ignorait d'où il venait : quand Milorioux, l'ancien braconnier de Tancogne, s'était fait condamner pour un coup de fusil malheureux, on l'avait vu s'installer à sa place ; il avait pris la maison et la femme. Un étranger, un traînier sans pays ; il avait dû braconner ailleurs, promener ses guêtres ici et là, au hasard des coups à faire; un ravageur qui détruisait froidement, pour la monnaie et rien que pour elle, qui chassait comme il eût volé : pas un braco.

Depuis cinq ans, l'association durait. Les terres du comte de Remilleret, c'était le lot du vieux Tancogne et de Volat ; de Buzidan au Bois-Sabot, de Malvaux à la Sauvagère, ils exploitaient les plantes et les bêtes, en bon accord, sans partage qu'entre Tancogne et

Volat. Bouchebrand était le cœur de leur domaine, le trou au Volat, la niche du dogue. Et voici que pour la première fois quelqu'un était venu tendre chez eux, faire un grillage chez eux, à leur nez et à leur barbe ! Malcourtois, de révolte et de rage, se sentait les entrailles crispées. On l'attaquait? On le volait? Eh bien, il allait se défendre ! Et raide, et dur, sans pitié pour le bandit !

Tancogne le regardait, impressionné par sa pâleur, par les cordes musclées qui se bandaient soudain sous la peau de ses mâchoires, qui tressaillaient péniblement aux bords de son masque impassible. Depuis deux jours, Volat était hanté par l'image de Raboliot, par les gestes de ce petit homme vif, par ses yeux impudents où brillaient des lueurs de moquerie, par ses mains prestes et menues. Dire que c'était ces mains-là, bon Dieu ! ces mains-là qui tendaient les collets, qui cassaient les reins des lapins ! En attendant, peut-être, de manier le grelot, la lanterne ou le fusil ! Pourquoi non? Ce Raboliot qui avait osé le braver, il était capable de tout ; à cause de lui, tout était désormais possible ; la chasse serait gâchée, perdue ; il n'y aurait plus qu'à mettre la clef sous la porte, à émigrer une fois encore.

Mais ça, non ! Ça, jamais ! Ils étaient deux, par tous les diables ! Contre Raboliot, il y avait Volat ; un Volat fiévreux de rancune, gonflé de griefs venimeux, le vrai Volat, le dangereux, le mauvais. Il était, à cet instant, comme un aspic qui se chauffait à l'aise, benoîtement lové au soleil, et à qui, tout à coup, l'on avait marché sur la queue : il balançait sa tête dardée ; il sifflait, les yeux rouges de sang. Gare devant ! Il allait frapper !

Tancogne le vit soudain faire quelques pas vers la maison, mettre les mains en cornet à sa bouche :

— Eh ! la Souris ! appela-t-il. Ici tout de suite !

Ce fut la Flora qui apparut au seuil.

— Elle n'est pas avec vous ? cria-t-elle.

Volat, immédiatement, courut droit vers l'échelle du grenier, l'escalada, s'engouffra dans la lucarne. Il y reparut aussitôt, tirant après soi la fillette : elle résistait, la tête dans son bras replié sous la menace des coups attendus ; mais Volat, sans frapper, la poussa vers l'échelle, la fit dégringoler en bas. Elle avait manqué les barreaux ; heurtant les montants, rebondissant, elle était tombée sans un cri ; et dans l'instant elle fut debout, prit sa course vers l'abri touffu d'une plaisse.

— Ici, charogne !

Volat s'élança derrière elle, la rattrapa juste comme elle se coulait sous le lacis des ronces, dans le fossé. Et deux gifles énormes la courbèrent, des bourrades la poussèrent devant l'homme, pliée, tremblante, mais toujours muette.

Le vieux Tancogne avait tourné la tête: cela ne le regardait pas. Il attendit que Volat l'eût rejoint, curieux de ce qui allait advenir. Et bientôt, en effet, la voix de Volat retentit, toute proche :

— Je m'en doutais, pardi, qu'elle était restée là-haut... à nous épier, la malfaisante ! Ce que c'est teigne déjà, monsieur Tancogne !

La petite regardait le vieux à travers ses cheveux emmêlés, des cheveux noirs, luisants et raides comme des crins. Elle avait un visage plein de ruse, audacieux et fin, que rendait pitoyable et qu'avilissait en même temps une expression de haine cafarde, où se voyait le vivace souvenir de tous les coups qui l'avaient meurtrie.

— Et menteuse ! continuait Volat ; menteuse comme père et mère, à rouler un maquignon...

— Est-ce qu'elle sait quelque chose? demanda Tancogne.

— Je le pense. Mais allez la croire !

— Pourtant, pourtant... continua le vieux. Elle n'avait point menti, hier, quand elle a dit que l'autre avait colleté la nuit d'avant. Si Bourrel avait été plus adroit, chez Trochut, il l'aurait bel et bien pincé... Est-ce vrai?

— Mais la nuit dernière, monsieur? Est-ce

que nous l'avons vu, au bois de la Sauvagère ?

— Ça, dit Tancogne, la drôline n'y est pour rien : ce n'est pas elle, m'est avis, qui avait parlé du bois.

Le grand Volat se mordit les lèvres, humilié: il s'était trompé, l'autre l'avait joué comme un gamin. Et il revit la mine de Raboliot, ce regard attentif dont il fixait la lisière de bouleaux et de chênes, cette grimace d'homme surpris qu'il avait eue soudain, quand Volat s'était retourné... Feintise que tout cela, comédie astucieusement jouée. Et lui, grand Nicodème, avait donné dans le panneau ! Ce que l'autre avait dû rigoler, au grillage, tranquille à sa besogne pendant que l'escouade des gardes battait les taillis, jusqu'à l'aube, sous la conduite de Volat ! Mais patience : Raboliot ne rigolerait pas toujours.

Malcourtois se raidit, réprimant le sursaut de rage qui venait de le bouleverser. Une espèce de sourire rôda sur son visage ; il saisit la gamine par ses bras frêles, durs pourtant, bruns de crasse et de hâle sous les loques qui les laissaient demi-nus.

— Tu as fait ce que je t'avais dit ?

Elle se taisait, butée, les yeux à terre. Tancogne alors se rapprocha, et lui toucha doucement la nuque :

— Il ne faut pas avoir peur, Delphine. Il

faut nous dire ce que tu sais... Allons, viens là, je te donnerai dix sous.

Il s'était assis sur un fût de bouleau renversé qui pourrissait dans les broussailles. Il attira la petite près de lui ; elle se laissait faire, délivrée enfin du tremblement nerveux qui la secouait en profondeur, qui lui contractait toute la chair.

— Allons, dis ; n'aie pas peur.

— Il ne me battra plus ? demanda-t-elle.

Deux larmes commençantes embuèrent ses yeux étroits et sombres, les troublèrent d'une détresse ingénue, sans tomber.

—Tu es allée au Bois-Sabot ?continua Tancogne.

— Elle y est allée, interrompit Volat. C'est moi-même qui l'ai conduite, un peu avant la pique du jour : je l'ai placée où nous avions dit, dans les joncs du petit étang, à la Patte d'Oie.

— Et qu'est-ce que tu as vu ? reprit Tancogne. Tu l'as vu sortir de la ferme, hein ? Avec les deux autres ?

— Oui, dit la Souris.

— Et tu l'as bien suivi, hein, sans te faire voir, comme on t'avait dit ?

— Pour sûr que je l'ai suivi !

— Et où est-il allé ? Qu'est-ce qu'il a fait ? Rappelle-toi bien, allons ! Raconte bien tout ce que tu as vu, sans mentir...

— Il a quitté les autres, dit-elle, justement à la Patte d'Oie; les autres sont partis sur Malvaux, comme pour prendre la grande allée dans la direction du canal... Probable qu'ils rentraient au pays ; mais je ne les ai point suivis, eux, du moment qu'on ne me l'avait pas dit.

Elle parlait à présent avec une volubile assurance, consciente de l'attention qu'on lui prêtait, un peu fière. Elle poursuivit, sans que Tancogne l'eût interrogée de nouveau :

— Le petit noir, lui, il a coupé dans les sapins, en bordure de l'étang de Bouchebrand. Il a tourné l'étang par la queue, et il a coupé encore, droit sur la grande allée ; mais il l'a traversée plus haut que les deux autres, entre Bouchebrand et la Sauvagère : j'ai pensé tout de suite qu'il allait monter vers le bois... Sur la plaine de Buzidan, il a filé dans un fossé de drainage ; il filait vite, vite ; mais je le suivais bien quand même, je l'ai bien suivi jusqu'au bois. Une fois au bois, par exemple, ça allait tout seul, parce qu'il ne filait plus si vite : il a marché toujours à la lisière, en dedans, là où c'est sale ; et il regardait par terre en marchant, ici, là, aux passées... comme ça, tenez !

Elle se leva d'un geste vif, et se mit à marcher devant eux, arpentant le taillis, enjambant les broussailles ; et ses yeux attentifs promenaient leurs regards, les alentissaient par instants, à peine, aux sentes capricieuses des lapins qu'ils repéraient avec vélocité, sans jamais en manquer une seule. La petite avait pris à ce point l'allure du poseur de collets, du braconnier qui reconnaît son terrain au passage, avant de tendre, qu'aucune parole n'aurait été plus claire : les deux compères, joyeux, échangèrent un clin d'œil.

— Juste comme ça !... Vous avez vu? dit la Souris.

Son fin visage pointu semblait frétiller de malice ; elle ajouta d'elle-même :

— Et il ne m'a pas aperçue, pensez... Autrement, il n'aurait pas regardé par terre. Il a donc fait toute la lisière, jusqu'à joindre la route de l'Aubette ; et puis il s'en est allé par la route, droit vers le canal et le bourg.

Volat et Tancogne, désormais, savaient ce qu'ils voulaient savoir. Tancogne, doucement, tapota l'épaule de la gamine :

— C'est bien, Delphine ; tu es une bonne petite fille. Vois-tu, il faut m'écouter toujours : tu le suivrais bien encore, le petit noir, si je te demandais de le suivre? Je te donnerai quelque chose, si tu le suis. Qu'est-ce que tu voudrais que je te donne?

Elle guigna Volat de côté, hésita ; mais aussitôt, mise en confiance par la douceur du vieux :

— Dites-lui voir de ne plus me battre.

— Mais non, mais non ! Il ne te battra plus, jamais, si tu es bien obéissante.

Le grand Volat, dans un rire muet, montrait des dents espacées et jaunâtres.

— M'est avis, affirma-t-il, qu'elle n'aura plus souventes fois à le suivre !

Il pencha son long corps vers Tancogne ; et, presque familier :

— Le garde que vous emmènerez avec vous, monsieur, j'aimerais bien que ce soit Tournefier.

— Et pourquoi ? dit Tancogne.

— Une idée à moi, voyez-vous. Le Raboliot et lui, ils sont cousins, un peu trop d'accord à mon gré... Quand vous tomberez sur le poil du gars, au bon moment, il faudra bien que Tournefier verbalise : ça les mettra d'accord une bonne fois.

Il eut de nouveau son rire muet :

— Tout de même, hein, ça m'étonnerait qu'il revienne jamais s'y frotter !

— On ne sait pas... dit Tancogne, rêveusement.

Au soir brun, Raboliot sortit du fourré. Il y avait deux heures qu'il s'y cachait, épiant les bruits épars et le déclin de la lumière. Au mouvement qu'il fit en se levant, un écureuil qui grignotait une faîne, assis sous l'abri de sa queue, le fruit serré dans ses deux petites mains, s'envola vers un pin et grimpa le long du fût, à toutes griffes, en poussant un grognement de porc.

Raboliot, à sa ceinture, assujettit le paquet de minces fils de laiton. Rien ne bougeait plus alentour. Il traînait par le bois une bruine incolore qui ruisselait au long des rameaux, et s'égouttait sur les feuilles mortes à petits heurts multipliés. Il s'approcha de la lisière jusqu'à découvrir au dehors, s'enfonçant large dans la bruine, la friche de bruyères et d'ajoncs qui par les champs montait vers Buzidan. Toute la plaine était vide, à travers une poussière d'eau qui délavait les formes proches, les silhouettes d'arbres isolés, et, brouillant les lointains, les dissolvait dans un gris uniforme, triste, où se mêlaient le ciel et la terre.

Raboliot replongea au bois, et tout de suite se mit à tendre. Il marchait vite, et ses regards le précédaient. Sa main droite, tâtonnante, palpait sous le gilet le dur écheveau qui lui ceignait le ventre, arrachait un fil d'un coup sec. Il ne s'arrêtait pas pour le tordre, il pliait le genou au cours même de sa foulée, et, contre lui faisant couler le fil, le lissait d'un geste appuyé, si vif que le métal sifflait dans le velours de la culotte. Marchant toujours, il nouait l' « œil » où jouerait la boucle : il ne regardait pas ce que faisaient ses doigts, assez savants pour travailler seuls ; il regardait le sol encombré de broussailles, il déchiffrait sur le terrain, en hâte, un grimoire chargé de sens. Des passées zigzaguaient, capricieuses, où les lapins boultinaient la nuit ; d'autres, s'étirant droit, révélaient les meusses [1] des lièvres ; un pied de fauve marquait le talus d'un fossé ; une plume vibrait, prisonnière d'une ronce ; et partout, mêlés à l'humus végétal, des débris animaux, de menues charognes de rongeurs, des os frêles comme des arêtes de poissons, des crottes, des fientes éparpillées, sollicitaient les yeux et la cervelle de Raboliot.

On n'aurait pu dire qu'il cherchait la place où il allait tendre : le fil une fois passé dans l'œil, la boucle du nœud coulant s'arrondissait déjà à la place qui l'appelait ; les doigts de l'homme, déjà, avaient trouvé le baliveau où se nouerait l'engin, et le nouaient. Et Raboliot était ailleurs, un peu plus loin suivant ses pas. Tous ses gestes coulaient, un peu comme le fil arrondi dans l'œil robustement tordu ; qu'il redressât le buste pour mieux voir, qu'il l'inclinât pour poser le collet, une harmonie flexible, jamais rompue, le conduisait à travers le bois.

S'il avait jamais appris à tendre, Raboliot ne se rappelait quand : il savait tendre, voilà tout,

1. Passées.

il devait savoir de naissance. Il y a des bracos laborieux, tâtillons, qui discutent sur la manière de poser, sur le diamètre des boucles, sur la hauteur où l'on doit les suspendre ; il y en a qui se demandent s'ils tendront pour le lapin seul, ou pour le lièvre seul, ou à deux fins, et qui prennent des mesures avec la largeur de leur main. Raboliot ne se demande rien : il marche à travers bois, arrache les fils de laiton noirs à l'écheveau qui s'amincit, plie le genou, travaille des doigts, se baisse, se relève, et poursuit. A peine est-il passé, des collets sont tendus qui cette nuit serreront des gorges tièdes : là où débouchera un lapin, le collet est à sa mesure ; si c'est un lièvre, il fourrera son museau dans une boucle assez large pour lui. Il y en a partout, dans les « tallées » au milieu des clairières, aux obstacles menus, — touffes de bruyères ou branches à ras de terre, — qui obligeront les bêtes à sauter vite au lieu de renifler le vent. Et Raboliot, tandis qu'il pose, n'oublie pas de cintrer le collet qu'il abandonne, d'un coup de pouce appuyé et glissant comme d'une goutte d'huile qui lubrifie. Il n'oublie pas, non plus, de se garder : son attention l'environne et le couvre ; elle recueille les frémissements du bois, explore, au trou d'une éclaircie, la plaine brouillée de brume que le soir assombrit peu à peu.

Il n'était pas, ce soir-là, très inquiet. Son

audace venait de le trop bien servir ; une fois de plus, il misait sur elle. Jamais Volat, jamais Tancogne ne le croiraient capable, après les récentes alertes, de venir tendre à la Sauvagère : la preuve, c'est qu'il n'entendait rien, n'apercevait rien de suspect. Les bois, autour de lui, ne bruissaient que de l'égouttis des ramures ; hors de la zone étroite que troublait sa propre présence, Raboliot les sentait respirer, comme ils respirent quand les hommes n'y sont pas.

Et il en profitait, il suivait jusqu'au bout sa chance. A sa ceinture, le lourd paquet avait fini par fondre brin à brin ; quelques fils demeuraient encore, qu'il pouvait compter sans les voir, en les palpant : une dizaine, tout au plus. C'était une fameuse « tente » qu'il laissait derrière lui, au bois de la Sauvagère ! Pas une passée, pas une touffe qui ne dissimulât son piège, de la corne du bois à la route de l'Aubette.

La route apparaissait, déserte, derrière une petite enclave labourée. Raboliot arracha les derniers fils ensemble, un peu tordus, un peu mêlés. Il s'était arrêté, à fin de besogne, pour les débrouiller et les nouer. Pourquoi perdre les fils qui restaient ? Quand on en a posé cent quarante, on peut bien en poser dix encore. Cent cinquante, ça ferait le compte plus rond.

Juste comme il se disait cela, il sursauta avec violence, bondit ainsi qu'un chevreuil surpris : devant son nez, à quatre pas, deux hommes s'étaient dressés dans le fossé de lisière, en même temps qu'une voix le heurtait :

— Halte-là, garçon, tu y es !

Il se jeta de côté, volta pour prendre sa course, s'enfonça vite au cœur du taillis ; mais une autre voix l'atteignit, l'arrêta net, les jambes fauchées :

— Ho, Raboliot !... T'ensauve pas, mon pauv'e vieux : on t'a bien vu.

Il y avait des chances, malheur ! pour qu'on l'eût bien vu en effet. L'imbécile, le berlaud, qui s'était arrêté dans le clair, qui s'était montré tout franc, tout debout, qui avait offert sa figure comme à la boîte du photographe ! Il attendit, muet, sans même jeter les fils qu'il tenait à la main, que Tournefier et Tancogne l'eussent rejoint.

II

Ni pour l'algarade chez Trochut, ni pour le coup de grillage près de l'étang, l'enquête de police n'avait réussi à prouver la culpabilité de Raboliot : Bourrel y avait perdu sa peine. Interrogés par lui, cuisinés, menacés, Berlaisier ni Sarcelotte ne s'étaient laissés émouvoir. Ce Beauceron de Bourrel avait appris, à ses dépens, qu'un Solognot ne dit jamais que ce qu'il a bien voulu dire : « Raboliot ? Il avait couché près d'eux, dans le foin, à la ferme du Bois-Sabot. Il n'avait pas bougé de toute la nuit. On leur contait de drôles d'affaires, avec ces histoires de grillage et de gibier vendu chez Trochut !... Quoi ? Bec-Salé avait dénoncé Raboliot ? Fallait-il qu'il fût soûl, quand même, plein de vin blanc à le pisser par les yeux ! C'était ça, pas autre chose, qui l'avait empêché de voir clair. »

Une petite visite, chez Trochut, de Sarcelotte et de Berlaisier, avait comme par miracle éclairci la vue du gros aubergiste. Il se rétractait ; il en revenait à ce qu'il avait dit tout d'abord, et qui était, il le jurait, la vérité : un traînier lui avait apporté ces lapins, un trimardeur qu'il ne connaissait pas. Et il donnait de l'homme un signalement copieux, car il avait l'imagination fertile. « Quant à lui, Trochut, il avait refusé les lapins, carrément. Etait-ce sa faute si les gendarmes étaient arrivés trop tôt, avant que l'animal ait pu remballer sa marchandise? Un beau cadeau qu'il lui avait fait en passant : la maréchaussée aux trousses, le soupçon sur son établissement, le discrédit, la ruine peut-être... Ah ! pour sûr qu'il le bénissait, le traînier ! Si les gendarmes pouvaient jamais le prendre, il leur devrait un fameux merci ! »

Bourrel, rageur, revenait à la charge : « Boniments, tout cela ! Il tenait un aveu, bel et bien ; le brigadier Dagouret, le vieux Boussu étaient là pour en témoigner... » Alors Trochut levait au ciel ses mains dodues, et larmoyait : « Il était un pauvre homme. Il avait eu si peur, quand Bourrel avait découvert les lapins, que la tête lui avait tourné. Etait-ce possible, allons, qu'il eût dénoncé Raboliot? Il aurait dit n'importe quoi, à ce moment-là ; il était fou, fou perdu... Comment aurait-il dénoncé Raboliot, quand Raboliot avait passé la nuit avec Sarcelotte et Berlaisier, à la ferme du Bois-Sabot? Ces messieurs gendarmes pouvaient se renseigner : Berlaisier, Sarcelotte leur diraient si Trochut mentait, à présent qu'il avait retrouvé sa tête! »

Il n'y avait pas moyen d'en sortir. En vain Bourrel avait-il louvoyé, interrogé Boissinot, Malaterre, et tous les journaliers, l'un après l'autre, embauchés par Tancogne pour la pêche des étangs : rien que des bouches cousues, des yeux écarquillés d'étonnement, abrutis d'une stupeur merveilleuse. Une conjuration spontanée, goguenarde, méfiante, le bloquait de tous côtés. Depuis longtemps, Boussu et Dagouret en avaient par-dessus la tête ; l'obstination de leur camarade les stupéfiait, les scandalisait un peu. Qu'avait-il besoin de tant chercher, de foncer à hue et à dia, quand il y avait le procès dressé par Tournefier, un bon procès de flagrant délit? Raboliot serait salé d'une amende, au tarif : il n'en méritait pas davantage.

Il fut salé, en effet; plutôt large, parce qu'il n'avait pas obéi à la citation du juge, parce que le tribunal, à Sancerre, s'était passé de sa présence.

Tout cela était la faute de Bourrel. Il avait suffi que Raboliot le revît pour qu'il se butât à son tour, homme contre homme. Au fond, il était de l'avis de Dagouret et de Boussu : le procès dressé par Tournefier, il l'acceptait avec fatalisme. « Sauve-qui-peut, malheureux qui est pris », ce sont les risques du métier. Mais dès qu'il eut appris, un soir, par Sarcelotte, que Bourrel avait fait un rapport sur l'aventure de l'auberge, que le procureur avait saisi les gendarmes de la commune, que Bourrel tenait son enquête, il se rappela aussitôt la scène qu'il avait surprise, il éprouva dans leur première violence les sentiments qui l'avaient secoué, dans le grenier de Trochut, alors qu'il regardait par la fente du parquet, à plat-ventre et les bras en croix.

Il s'était réfugié chez lui, et n'en bougeait plus d'une semelle. Il attendait, dans un silence bourru, que les gendarmes vinssent le trouver. Aux questions inquiètes de Sandrine, il avait répondu si rudement dès l'abord qu'elle n'avait pu que se taire, elle aussi. Une atmosphère d'orage pesait sur la maison et les cœurs.

— Pourquoi ne me dis-tu rien, Raboliot? Est-ce que je suis cause de ta peine? Est-ce que je t'en veux, seulement?

Sandrine n'avait pu y tenir. Elle s'était approchée de la chaise où l'homme se tenait immobile, le coude sur la table et le front dans la main, avec des yeux absents, perdus. Il répondit, sans même la regarder :

— Je n'ai rien à te dire, Sandrine.

C'était la vérité. Ces événements dépassaient l'entendement de Raboliot. Bien sûr, quand on est braconnier, il arrive que l'on se fasse prendre. On pose des collets dans un bois, entre chien et loup ; un garde surgit, et le procès vous tombe sur le nez : ainsi peuvent aller les choses. Et pourtant, pourtant... Si peu qu'il y songeât, il pressentait jusqu'en cette rencontre, en cette présence inattendue de Tournefier et de Tancogne dans le fossé de la Sauvagère, de louches dessous, d'inexplicables machinations. Il avait été surpris, c'était vrai. Mais pourquoi cette surprise, et qui est-ce qui l'avait provoquée?... Volat? Bourrel? L'image de ces deux hommes l'obsédait, tantôt de l'un, tantôt de l'autre. Il n'y avait entre elles aucun lien qu'il pût concevoir; il était même sûr, à l'évidence, que nulle entente réelle ne coordonnait leurs efforts. Volat, Bourrel, ça faisait deux : n'empêche que lui seul, Raboliot, devrait faire front de deux côtés.

Il s'y perdait. Il attendait, piété, ce qui viendrait. Une seule pensée claire lui restait et l'armait, déjà violente comme une détente de muscles : il ne se laisserait pas faire. Contre Volat, contre Bourrel, il se défendrait à force.

Ce fut Bourrel qu'il affronta d'abord. Il n'y eut rien que quelques phrases échangées devant le seuil de la maison, dehors : car Raboliot, à la vue des gendarmes, était sorti tout raide, pour éviter que le Bourrel posât seulement un pied chez lui. Et il avait parlé comme avait parlé Trochut, comme avaient parlé

Berlaisier, Sarcelotte : « Des lapins colletés et vendus ? Une chasse au grillage ? Où ça ? Chez qui ? Par qui ? Il avait couché au Bois-Sabot tout le temps qu'avait duré la pêche ; il ne comprenait rien de rien à ces *arias* qu'on lui cherchait. »

Debout devant Bourrel, sur l'accotement herbeux de la route, il se tenait bien droit et tranquille ; mais un frémissement intérieur ne cessait de le parcourir, une petite danse de tous les nerfs qui lui courait jusqu'au bout des doigts. Et il se répétait doucement, il s'entendait chuchoter en lui-même comme une chantonnante litanie : « Bouge pas, Raboliot... Bouge pas, mon gars... Attention, Raboliot, bouge pas... »

Une joie lui était venue tout soudain, à voir Bourrel rougir, d'un flot de sang poussé au visage, et puis blêmir, les joues décolorées : il marquait le coup, le gendarme ! Il ne pouvait décidément rester plus fort que sa colère ! Cela, dans l'instant même, remettait Raboliot d'aplomb. Il regarda Bourrel lever une main au col de son dolman, l'élargir d'une saccade brutale.

— Vous avez fini avec moi ? demanda-t-il.

— C'est à voir, dit Bourrel.

Il s'était calmé tout à coup. Sa petite moustache de roussiau tressaillait d'une joie bizarre, d'une espèce de concupiscence. Il goguenarda :

— Paraît qu'il y avait du monde dans le fossé, l'autre soir, près de la route de l'Aubette ? Je me suis laissé dire qu'un poseur de collets, un malin pourtant, un subtil... M'est avis qu'on se retrouvera, mon gars !

Ce fut au tour de Raboliot de rougir. La voix qui chuchotait en lui s'enfla soudain, lui cria dans tout l'être une adjuration éperdue : « Bouge pas ! Bouge pas ! » Les poings serrés, les genoux tremblants, il regarda s'éloigner le dos de Bourrel. Il regardait ce dos, boulu de muscles qui tendaient le drap rêche. Et ce qu'il voyait réellement c'était le visage de l'homme, ses pommettes larges, un peu luisantes, ses yeux surtout, d'un gris pâle et bleu, où ricanait il ne savait quelle joie hargneuse, quelle dureté secrète dont il avait les sens révoltés.

Eh bien oui, quoi ! il y avait le procès de Tournefier : « Un procès n'est jamais qu'un procès. » Pour la centième fois, Raboliot se répétait cela, s'efforçait de réduire à une notion très simple cette idée de contravention, aussi nette, aussi aisément préhensible qu'un caillou qu'on serre dans la main. Et pour la centième fois, il ne pouvait y réussir.

D'abord parce qu'il s'agissait de lui. Que ce procès l'atteignît, lui, Raboliot, et tout était déjà changé. Depuis le temps qu'il braconnait, il ne s'était jamais fait prendre ; le soir où il avait tendu au bois de la Sauvagère était un soir comme tant et tant d'autres : il était anormal et absurde qu'il se fût laissé prendre ce soir-là. Il avait calculé juste, senti juste ; ce soir-là comme tant d'autres, il était sûr de ses conjectures, des précautions qu'il avait prises, de tous les pas, de tous les gestes qu'il avait faits. Quelque chose était survenu, qui se dérobait à sa quête.

Il revenait toujours buter là-contre : Volat ? Bourrel ? C'était plus fort que lui. Une fureur le prenait contre ces hommes, contre cette ténacité qu'ils avaient, même absents, à le traquer. Vainement éprouvait-il que sa colère l'égarait, qu'il devait y avoir autre chose, un hasard qui l'avait trahi, une surveillance qu'il ne soupçonnait pas : le mystère même qui le tourmentait, c'était sous l'apparence de Volat, de Bourrel, qu'il se manifestait à lui. C'était Volat qui l'avait vendu, la première fois ; c'était Bourrel qu'il avait vu se diriger vers sa demeure, son uniforme, son baudrier de cuir, sa sale gueule.

Il attendait, chez lui, l'inévitable retour du gendarme. Une stupeur de catastrophe, l'angoisse d'un destin mauvais continuaient d'oppresser la maison. Ni Sandrine, ni les enfants n'osaient plus ouvrir la bouche. Il suffisait d'un rien, d'un soupir de la femme, d'une assiette choquée en mettant le couvert, pour que Raboliot éclatât : « La paix ! La paix ! Il n'avait pas assez d'embêtements, peut-être? Si Sandrine et les drôles s'en mêlaient à présent... » Il attendait, replié sur lui-même, baugé.

Et il y eut d'abord une citation en correctionnelle, apportée par Bobin, le garde-champêtre. Raboliot y jeta les yeux et déclara : « Je n'irai pas. » Des jours passèrent, et Bobin frappa de nouveau à la porte, présentant une feuille rose qui notifiait le jugement par défaut : Raboliot avait été condamné ; il avait deux cents francs d'amende. Avec les frais, ça allait chercher gros. Il affirma :

— Je ne paierai pas.

— Signe toujours, conseilla Bobin.

Mais Raboliot secoua la tête :

— Je ne signerai pas.

— Comme tu voudras, mon gars. Mais ça pourrait te mener loin.

— Ça m'est égal, dit Raboliot.

Il continua d'attendre les autres feuilles qui allaient venir. Il ne prévoyait rien, il n'essayait même pas de prévoir. Toutes ces questions qu'il s'était vainement posées, tous ces tâtonnements dans le noir, sans compagnon, il en avait la tête cassée, il ne lui en restait qu'une lassitude abrutie et morose. Bobin apporterait d'autres feuilles, des assignations, des contraintes, il ne savait ; mais il se doutait bien que cela durerait longtemps, lui permettrait de se ressaisir, de se résoudre enfin au parti qu'il fallait prendre.

Cela ne dura pas longtemps. Un soir, on frappa à la porte. Il cria : « Entrez ! » croyant voir Bobin apparaître. Mais au lieu du képi noir de Bobin, ce furent deux képis bleus qui se montrèrent dans le cadre de la porte ouverte.

— Pierre Fouques? lança gaillardement Bourrel. Pierre Fouques, dit Raboliot, c'est bien ici?

— Qu'est-ce que vous voulez? dit le braco.

— T'apporter ça.

Bourrel tendait une grande feuille blanche dépliée. Raboliot s'avança, prit la feuille, et se rapprocha de la porte pour mieux voir. Quelques mots, d'abord, accrochèrent ses regards : *Greffe correctionnel... Signalement du condamné.* Et aussitôt les lignes se brouillèrent, s'enchevêtrèrent en soubresauts étranges, tandis que l'homme, le front penché, feignait de lire encore et tâchait de garder paisible contenance.

— Alors, on t'emmène? dit la voix de Bourrel.

Il tressaillit, releva les yeux :

— Là voù?

Bourrel riait, la mine brillante de triomphe :

— Là voù? Mais tu as lu, je pense?

Il allongea son doigt sur la feuille, un doigt

au bout carré, à l'ongle épais, dont la peau blanche était piquetée de quelques petites taches de son. Raboliot suivit le geste de ce doigt, les lignes dansantes s'immobilisèrent tout à coup, lui jetèrent aux yeux d'autres mots : *A été écroué le... A subi l'emprisonnement cellulaire à...*

Il recula de deux ou trois pas, les oreilles pleines d'une lourde rumeur, pareille à celle d'un flux de vent qui traîne sur une pineraie lointaine. Il lui semblait, à travers cette rumeur, entendre le brigadier Dagouret qui parlait. Alors il se tourna vers Dagouret, regarda son visage placide, et se sentit comme délivré d'un sort.

— Qu'est-ce que vous dites ? demanda-t-il. Si vous vouliez bien répéter, des fois ?

— Tu peux former opposition, expliqua le brigadier. Le jugement a été prononcé par défaut...

— Et si je forme opposition, comme vous dites ?

— En ce cas, mon garçon, il faudra que tu te présentes à une prochaine audience. On ne te convoquera même pas. Tu n'as qu'à t'engager toi-même, par écrit, à faire de bon gré le voyage. Tu vois, c'est marqué là...

— Et après ? coupa rudement Bourrel.

Il s'avança devant Dagouret, tendit son corps vers Raboliot :

— Est-ce que tu t'imagines que ça ira mieux pour toi, hein? Qu'on te laissera chanter au tribunal toutes les menteries qui te passeront par la tête? Je serai là pour un coup, comprends-tu? Et il y en aura d'autres...

— Volat? demanda Raboliot.

— Y a des chances, railla Bourrel. Allons viens, petit. Sois sage...

Il sursauta, son sourire tout à coup figé : contre son nez, la porte de la maison avait claqué avec violence, rabattue sur Raboliot. Il la heurta furieusement du poing, hurlant des injures bredouillées. Dagouret lui disait, tranquille :

— Te voilà rudement avancé.

III

Raboliot n'était pas allé loin : à quelques maisons de la sienne, à l'Aubette, chez Touraille.

C'était moins isolé que chez lui, et en même temps d'abords mieux défendus, plus secrets : contre le jardin de Touraille, d'autres jardins, de petits prés se touchaient frange à frange, se pénétraient d'enclaves, entrecroisaient leurs clôtures et leurs plaisses. Des boqueteaux en taillis s'égaillaient au travers, jusqu'à presque toucher les maisons ; s'il le fallait, ils guideraient Raboliot vers les fourrés et les pineraies de la campagne, comme des pierres semées dans un gué.

Le jardin même de Touraille cachait de toutes parts la maison. Une allée en faisait le tour, pressée de noisetiers, d'aveliniers, de coudriers ; des pieds de bambou noir jaillissaient çà et là entre les châssis à légumes, les carrés de salades et les rangées de choux. Chaque planche était bordée d'arbustes et de fleurs rustiques : des saponaires, des gaillardes et des mauves défleuries, des amarantes aux quenouilles pourprées qu'on appelle des « lippes de coqs d'Inde ». En ces jours d'extrême automne, les quenouilles pendaient, assombries, semant leurs fines graines rondes et noires ; les feuilles tombées collaient au sol gras des allées ; et les mouches à miel, ayant rallié les paillotes du rucher, laissaient le jardin silencieux dans la grisaille des journées froides. Pourtant, il y avait là tant de plantes, de grandes herbes ensauvagées, que l'enclos à demi dépouillé demeurait touffu à l'œil, foisonnant, vivace et dru. Autour du petit hangar où bourrées et cotrets s'amoncelaient sous un toit de branches et de joncs, de hautes orties, des cerfeuils sauvages, des ramberges épaississaient leurs touffes innombrables, leur verdoiement vigoureux et mou. Jusqu'au pied de la maison c'était la même exubérance, la même confusion végétale, allègre, libre, débraillée un peu : les chélidoines, les alliaires, les renoncules bouillonnaient au bas des murs, déteignaient sur leur blancheur chaulée, entre les pans de bois feutrés de mousses et fleuris de lichens. Elles se haussaient vers l'appui des fenêtres, petites et basses, quadrillées de vitre exiguës, se nouaient aux guirlandes des cymbalaires, aux aigrettes des bromes, aux coulées sombres et brillantes des lierres. Quand on était dans la maison, la lumière était verte qui bougeait aux croisées, onduleuse et flambante par les soleils du plein été, ruisselante par les jours pluvieux, parfois aussi, quand les hivers bloquaient le couvercle du ciel, immobile et stagnante, d'un glauque aussi glacial et morne que celui d'un abîme marin.

Il faisait tiède, dans la maison du vieux Touraille, tiède et paisible. Les heures qu'y passait Raboliot l'engourdissaient d'une douceur un peu triste. Il continuait de s'y laisser aller, jouissait pauvrement de cette trêve qui lui était donnée, au seuil d'un avenir qu'il prévoyait menaçant.

Aussi longtemps qu'il restait chez Touraille, sa vie de braconnier traqué se réduisait à deux ou trois notions élémentaires, et qu'il se gardait bien d'approfondir. Dehors, entre l'Aubette et le canal, il y avait sa maison à lui, où vivaient Sandrine et les mioches, et que surveillaient les gendarmes. Il songeait à l'angoisse de Sandrine, à l'émoi nerveux qui ne devait guère la quitter, mais il se rassurait aussitôt, en hâte, avec la certitude que les gendarmes ne pouvaient rien contre elle. Ici, tout à côté, c'était le jardin de Touraille, l'épaisseur buissonneuse de l'allée qui le ceignait, et les deux portes presque invisibles que Raboliot ouvrait ou fermait à son gré : l'une joignait la route de l'Aubette, par un ponceau de planches enjambant le fossé ; et l'autre, à l'opposé, donnait sur un pré clos de haies, contre un trognard de chêne énorme que l'eau des pluies, à force de stagner sur sa cime, avait creusé comme une grotte.

La présence touffue du jardin, celle des portes dociles dont il pourrait jouer tour à tour, suffisaient à Raboliot. Une fois pour toutes, il savait ces présences rassurantes, favorables à la douceur des jours.

Touraille, très vite, s'était rassuré lui aussi. Il avait d'abord gesticulé avec excès, roulé des yeux blancs, attesté ses mœurs pacifiques : « Il ne mettait pas Raboliot à la porte, non ; il n'était pas un beau-père dénaturé. Mais s'il arrivait quelque chose, il s'en lavait les mains d'avance. C'était bien entendu qu'il s'en lavait les mains : il n'y aurait ni surprise, ni reproches. »

Touraille était un homme réfléchi. La première inquiétude passée, il avait pris des événements une conscience plus exacte et plus froide : une amende non payée? Un extrait de jugement? La belle affaire ! Le pis qui pouvait arriver, c'était que Raboliot se fît cueillir par les gendarmes. Alors il tirerait un mois à Sancerre, chauffé, nourri pour rien, fabriquerait des chaussons de lisière, et reviendrait, la mine florissante, avec un pécule dans sa poche. Sandrine et les enfants se débrouilleraient en l'attendant : un mois à la maison centrale, ça n'a jamais été la mort d'un homme, ni d'une famille. S'il le fallait, à la rigueur, il y aurait les choux du jardin, et peut-être, peut-être... allons, un bon mouvement Touraille ! un billet de dix francs, ou deux, prêtés pour faire prendre patience : Sandrine était sa fille, le seul enfant qu'ils avaient eu, Norine et lui.

Touraille, au bout de quelques jours, se réjouissait sans arrière-pensée d'avoir Raboliot près de lui. Le talent singulier qu'il avait d'empailler les bêtes des champs lui valait une considération à quoi il était fort sensible : quelque chose comme le prestige dont jouissaient les sorciers, naguère, mais un prestige de bon aloi, que ne viciaient ni la crainte, ni la haine. Touraille, s'il aimait son métier, trouvait juste qu'on l'admirât. A la longue, c'était devenu chez lui un besoin ; il lui plaisait, tandis qu'il travaillait, qu'on le regardât travailler, l'interrogeant, l'écoutant tour à tour. Il avait la langue bien pendue, la réponse facile, et il était enclin aux longs récits.

On ne peut pas toujours conter les mêmes histoires au même auditeur bénévole. Depuis tant d'années qu'elle est là, Norine les connaît par cœur ; ça n'empêche pas Touraille de parler ; mais quand il parle devant sa femme, c'est un peu comme s'il parlait tout seul, ou devant ses bêtes empaillées. Petit à petit, l'admiration fidèle de Norine a perdu, pour Touraille, toute saveur et toute vertu.

— Siése-toi là, mon Raboliot.

Il était plein de sollicitude pour ce compagnon tout neuf, pour ce chasseur qui comprenait les choses, et qui l'écoutait volontiers du matin jusqu'au soir tombant. Raboliot se plaisait dans la maison de son beau-père ; il aimait, autour de lui, ce peuple d'oiseaux immobiles, arrêtés en plein vol par la baguette d'un enchanteur. Il y en avait partout : dès qu'on pénétrait dans la salle, des yeux de verre brillants et fixes vous regardaient de toutes parts, des ailes vous frôlaient le front, en même temps qu'une odeur puissante, de poussière et de musc, de colle forte, de tabac et de chairs faisandées vous entrait au fond des narines. Les oiseaux se piétaient sur la tablette de la cheminée, les griffes cramponnées à des branches vernies, entre des pots à épices, des boîtes d'allumettes, des paquets de *caporal* éventrés. Ils pendaient aux solives du plafond, se balançaient à la maîtresse poutre, si bas que l'on devait courber la tête. Il y en avait sur la maie, et Norine les posait à terre avec d'infinies précautions quand elle voulait prendre le pain ou la pitance. Il y en avait d'accrochés du haut jusqu'au pied des cloisons, parmi des enluminures de journaux illustrés : des moineaux effrontés, des passereaux de muraille qui semblaient chercher un trou, et des pics-verts qu'on croyait prêts à travailler du bec, à piquer dans les ais vermoulus les insectes rongeurs de bois. Des armatures de fils de fer, des bandelettes de papier collées maintenaient les ailes éployées ; des bouchons fichés au bout des becs les gardaient étroitement fermés, tandis que des becs de rapaces, tout grands ouverts pour menacer, montraient des tampons d'ouate enfoncés creux dans la gorge.

A gauche de la salle, l'atelier de Touraille était plus encombré encore, comble de l'établi au tour et du plancher au plafond. Des pattes de chevreuils pliées à angle droit, des débris de cuir, des queues d'écureuils, de tout petits oiseaux en loques traînaient pêle-mêle sur l'établi, avec des fioles poudreuses, des pots de colle, des tapons de blanc d'Espagne, des fils de fer tordus, et des boîtes de carton où brillaient les boules de verre dont Touraille ferait des yeux. Sur l'appui des croisées, des écureuils trottinaient, la queue souple. Au pied du tour, dans l'amoncellement des copeaux, bruissants comme feuilles mortes au soleil, on soulevait du soulier des peaux raides et velues, de taupes, de fouines ou de putois. Et quand on franchissait la porte, en se courbant pour n'en point heurter le sommier, on faisait osciller au passage une peau de renard efflanquée, qui vous lançait en plein visage sa puanteur violente et fauve.

A droite de la salle, dans la « belle chambre » plus secrète et plus froide, les pièces terminées attendaient que les clients vinssent les chercher ; des étiquettes portaient leurs noms calligraphiés. En cette saison des chasses, les commandes affluaient nombreuses. La belle chambre, où régnait une pénombre recueillie derrière les persiennes entre-closes, vous pénétrait sitôt le seuil d'une déférence quasi inquiète. C'était comme si l'on fût entré dans un musée, dans une église. Instinctivement, on baissait la voix.

Touraille, lui, parlait tout haut. Il était le génie de ce capharnaüm. Petit, menu, un peu voûté, il avait une bonne face circulaire, aux joues roses, et des yeux bleus, d'un bleu de fleur de lin, qui brillaient d'une fraîcheur enfantine ; mais parfois, ils clignaient à l'abri des lunettes, et leurs prunelles dardaient un scintillement soudain, pétillaient de narquoise roublardise. Il était fier de ses moustaches, et il y avait bien de quoi : candides, très longues et très souples, elles contournaient les commissures des lèvres, s'infléchissaient en deux volutes harmonieuses, pour enfin prendre leur essor, flotter dans l'air ainsi que des fils de la Vierge.

Touraille trottinait à travers la belle chambre, effleurant de la main ses créatures, qui semblaient s'animer au toucher de ses doigts. Il les nommait, chacune par un nom bien à elle, et qui était rarement le nom qu'aurait prononcé Raboliot : c'était comme un appel ou une incantation.

— Celle-là, disait-il, c'est l'effraie. D'aucuns disent la chouette religieuse. Mais c'est l'effraie, pour dire la vérité.

Il soulevait, du bout de l'ongle, le duvet neigeux et doux qui se gonflait à la gorge de l'oiseau, qui lui ouatait le ventre et les cuisses. Il caressait le dos et les ailes étendues, leurs plumes d'un blond doré, ardent, qu'assourdissait un ruissellement de perles grises.

— Elle est bougrement jolie, disait-il.

Et puis il demandait, en clignant un coin de paupière :

— Et celle-là, hein, qu'est-ce que c'est?

— Une chavoche, donc ! répondait Raboliot.

Le vieux corrigeait, épanoui :

— C'est une chevêche. Et c'est la grande. Tu ne vas pas l'appeler chevêche tout court, puisque c'est la grande. Et la petite chevêche, la voilà.

Ce Touraille, il n'était pas ordinaire. Raboliot connaissait les chavoches, qui volent doux dans le soir alentour des maisons, et dont le cri, la nuit, au bord du toit, annonce mort ou naissance au logis. Elles sont des ailes muettes qui vous frôlent, qui vous soufflent froid au visage ; elles sont des yeux qui s'allument étrangement, qui brûlent dans les ténèbres comme deux petites lampes glauques, et que l'on n'aime point regarder.

Et maintenant, chez Touraille, les chevêches immobiles se rangeaient sur la commode, les serres cramponnées à des branches qu'embellissaient des brins de mousse mordorés. Elles vous fixaient encore, de leurs pupilles énormes, cerclées d'or ; mais on voyait en s'approchant que leurs yeux étaient en verre, bien imités, possible, mais en verre.

Raboliot suivait Touraille parmi le peuple des oiseaux. Chaque fois qu'il pénétrait dans la belle chambre, il en découvrait de nouveaux. De chaque solive s'envolait un oiseau, des buses pêcheuses, des buses des bois, des bondrées, des corbeaux, des freux, des pies, des geais. Des passereaux s'égaillaient au travers, s'accrochaient aux courtines du lit clos : des sansonnets, des merles, tous ceux qui sifflent ; et tous ceux qui roucoulent, des ramiers bleu d'ardoise, des tourterelles au bec écarlate, grasses du jabot comme de petits pâtons, bombant leur gorge grise et rose sous leur collerette précieuse, noire et blanche. Et il y avait encore les oiseaux du marais, toutes les pattes fines qui font des étoiles sur la vase :

des vanneaux huppés de noir, dont les ailes noires, sous la coulée de la lumière, brillaient de reflets chatoyants, tantôt violets et tantôt verts ; tous les palmés qui se dandinent en marchant : les judelles tristes, les sarcelles délicates, les colverts gemmés d'émeraude. Au milieu de la chambre, debout sur une table ronde, huit grands hérons tenaient conseil, gourmés dans leurs jaquettes gris clair. Touraille, même, tenait captifs dans la belle chambre de puissants et fiers voyageurs : des oies sauvages à l'ample poitrail, tendu comme une proue magnifique, et deux géants, des cygnes sauvages que déshonorait la poussière. Il les jaugeait avec l'emphase d'un bonisseur :

— Dix bons kilos qu'ils pèsent, disait-il, autant qu'une drôline de deux ans. Un bon mètre soixante-cinq du bout du bec au bout de la queue, autant qu'un homme. Et deux bons mètres trente d'envergure, plus qu'un homme !

Et il touchait leurs becs. Et les cygnes, d'un mouvement contraint, tordaient en arrière leur cou flexible, comme pour fuir ces doigts qui s'avançaient.

Il était d'humeur plaisante, Touraille. Fantaisiste, il jouait avec sa ménagerie. Au coin d'un museau de lièvre, il fichait un brûle-gueule de terre. Il inclinait, à la maîtresse poutre, une tête de chevrette vers une tête de biquin : et la mère léchait son faon. Encore n'était-ce rien, tant qu'on n'avait pas vu ce qu'il appelait ses « scènes de genre ». Des écureuils en étaient les acteurs. Sous une branchette d'orme feuillue, inclinée en manière de charmille, deux amoureux sont assis sur un banc. Le galant se penche vers sa galante, lui ceint le cou de son petit bras, attire sa tête avec douceur, et tendrement la baise, sur la joue. La belle, à son côté, a posé son ombrelle ; et c'est une élégante, comme on voit à son aumônière. Et il y a surtout, célèbre à des lieues à la ronde, le grand bal chez Coubaillon : quel entrain, mes amis, quelle liesse ! Les valseurs tournent, enlacés. Juchés sur une tonne, les deux ménétriers moulent la vielle et raclent le crin-crin. Et en avant, messieurs ! Et balancez vos dames ! Les panaches roux ondulent et valsent, on a envie de valser à son tour, ou bien, comme celui-ci qui se cache dans un coin d'ombre, d'entraîner sa galante à l'écart, de l'amignouter gentiment.

Sacré Touraille ! C'était un homme bien capable. Ménétrier, lui aussi, il violonait aux noces, et volontiers pour son plaisir. On n'imaginait pas tout ce qu'il pouvait faire de ses doigts : il avait fabriqué un baromètre, une maisonnette de bois qu'on aurait crue en briques et en pierres, avec un toit d'ardoises auquel rien ne manquait, ni les cheminées rouges, ni la girouette de tôle. Dans l'axe des deux portes jouait une planchette à deux personnages, que faisait pivoter une corde à boyau dissimulée dans le montant. Et tantôt le monsieur, — pardessus jaune et chapeau haut-de-forme, — mettait le nez dehors : et c'était signe de pluie ; tantôt la dame risquait sa jolie robe vert de salade : et c'était signe de beau temps.

Il dessinait aussi, ce diable d'homme. Contre le mur, dans un cadre d'ébène, il montrait son portrait en zouave qu'il avait crayonné lui-même, comme ça, sans avoir jamais été montré. Et il disait :

— Je l'ai fait au crayon Conté. Il ne faut pas s'approcher trop près, parce qu'alors ça ne fait plus si bien.

Il exhibait, sous la vitre, ses moustaches interminables, noires en ce temps-là, terriblement aiguës et raidies de pommade.

— En ce temps-là, disait-il, j'avais une barbe aussi, une fameuse barbe pour mes vingt-deux ans. Je pouvais la nouer derrière mon cou, et mes moustaches derrière ma chéchia.

Et il disait encore :

— C'était bien défendu de se faire raser le menton. Il y en avait, vraiment, pour qui ça ne s'expliquait guère. Qu'est-ce qu'ils pouvaient offrir ? Cinq ou six poils tout maigres et malheureux : c'était bougrement vilain... Moi, mon garçon, les officiers m'avaient demandé pour me faire prendre en portrait avec eux. Sur la photographie, je tendais un pli au commandant. J'aurais bien voulu l'avoir, et peut-être que je l'aurais payée pas cher ; mais on voulait me la faire payer, alors tu comprends...

On se serait attardé des heures à la suite du père Touraille, dans la belle chambre. Lui-même, quand il en faisait les honneurs, n'était jamais pressé de la quitter : et ça se comprenait, car c'était bien lui, après tout, qui avait droit d'en être glorieux. Il se décidait pourtant, entraînait Raboliot derrière lui :

— Au travail, feignants que nous sommes !

Ils s'en allaient dans l'atelier, s'asseyaient sur des escabeaux. Le vieux, tout en besognant, n'oubliait point de faire aller son battant. Il fignolait, au pinceau, la langue d'une buse presque achevée, qui dans ses griffes enlevait un geai à pleines ailes :

— C'est de la pâte anglaise couleurée, expliquait-il. C'est moi qui la fabrique, avec du blanc d'Espagne mélangé à de la colle forte ; et j'y mets, moi aussi, la couleur... On croirait pas, mais c'est avec cette même pâte-là que je fais toutes les gueules par-dedans, aussi bien celles des *moigniaux* que celles des sangliers ou des cerfs. Une supposition que j'aurais à faire le dedans d'une gueule d'éléphant, ça serait toujours avec cette même pâte-là.

Quand il ne parlait pas sur les secrets de son travail, il contait des histoires sur les bestioles qu'il maniait. Aux serres jaunes de la buse, le geai laissait pendre ses pattes, sa tête pendait aussi qui venait de clore les yeux, et ses ailes abandonnaient, glissantes, leurs rémiges teintées de bleu céruléen.

— C'est bougrement joli, ce bleu, disait Touraille. C'est un bleu surnaturel, un bleu magique.

Et il contait :

— Tous les ans, au 13 de mai, les coleuvres, les anvots [1], les aspics, tous les serpents de la Sologne s'en vont rampant vers *une* étang des bois : une étang noire, sauvage, quasi celle de Bouchebrand ; mais l'étang aux serpents, elle est entre Jouy et Ardon. Au bord de l'iau, ils se rencontrent, s'entortillent les uns autour des autres, et fond un nœud bien plus gros qu'un poinçon. Alors ils bavent tertous, une bave brillante comme la rosée, qui se forme en-dessour de leur langue. Et il y en a deux, les plus malins, les plus subtils, qui prennent toute cette bave à mesure, et la pétrissent, la roulent et la façonnent, tant qu'elle durcit, durcit, de plus en plus serrée et brillante. Et

1. Orvets.

elle devient à la fin un diamant, un diamant bleu.

— Oui da ? s'étonnait Raboliot.

— Oui da, garçon, un diamant bleu. Et les serpents, l'un après l'autre, coulent leur ventre dessus, tout au long, pour le faire briller davantage. Et ils plongent au fond de l'étang... Mais le dernier serpent, avant de plonger comme les autres, jette le diamant dans l'iau, de crainte qu'un geai ne le trouve et l'emporte.

— Un geai ?

— Un geai, oui bien, garçon. Car sans ce diamant des serpents, le geai ne pourrait point teinter ses ailes. Tu chercheras dans les vieux nids, dans le nid du premier geai : tu y trouveras sûrement le premier diamant des serpents.

Il souriait finement, le vieux. On avait beau ne pas le croire, on en venait à se demander si on ne le croyait pas quand même : ah ! il en avait dans la tête !

— Aux temps anciens, disait-il encore, le rossignol n'avait qu'un œil. L'anvot itou n'avait qu'un œil. Et ils étaient copains comme cochons. Mais voilà que le rossignol est prié un jour à la noce. Et il dit comme ça à l'anvot : « Prête-moi ton œil, mon camarade, je te le rendrai sans faute ». Et il va à la noce, fier comme un paon d'avoir deux yeux (mais le paon, sur sa queue, en a bien davantage). Et il revient, et l'anvot lui réclame son œil. « Ton œil ? Quel œil ? Par mon père et ma mère, je ne sais pas ce que tu veux dire ». Il était rudement chenille, ce rossignol ! En attendant, l'anvot restait aveugle, et malcontent comme tu peux croire. Et il siffle au bec du rossignol : « Je mangerai tes petits dans l'œuf ! — Voire, dit l'autre. Je bâtirai mon nid si haut, si bas, que tu ne le trouveras pas ». C'est depuis ce temps-là qu'au pied de chaque buisson où un rossignol a fait son nid, on ne peut pas manquer, en cherchant bien, de découvrir dans l'herbe un anvot.

Touraille ainsi devisant, Raboliot l'écoutant, les heures passaient sans qu'on s'en aperçût. Par la porte de la salle toujours ouverte, ils pouvaient voir la vieille Norine qui tricotait. Assise près du petit fourneau, elle surveillait par-dessus ses lunettes le manger qui cuisait sur le feu, et ses aiguilles d'acier cliquetaient à petit bruit. Elle se levait, massive, la tête auréolée par sa coiffe paysanne plaquée derrière sur l'occiput, ronde et blanche comme fromage frais.

— Allons, les hommes ! C'est temps de venir à la soupe.

L'omelette grésillait dans la poêle, le lapin mijotait dans le fait-tout de terre vernissée. Ils s'attablaient, tous les trois, et Touraille continuait de parler. C'était un bon moment encore : sur l'omelette onctueuse, ils secouaient la bouteille de vinaigre au bouchon percé d'un trou. Le vieux, allongeant le bras, coupait au plat de petites bouchées successives. Il se plaignait :

— L'estomac ne va plus. J'ai la fressure ben délicate.

Mais sa fourchette d'étain piquait toujours, et il avait bonne mine, en somme. Norine mangeait silencieusement, abondamment, les yeux fixés sur son mari, sur ses lèvres moustachues et bavardes. De temps en temps elle l'approuvait, ainsi qu'elle en avait l'habitude : « C'est ben vrai. Il a ben raison ».

— Vent solaire, disait Touraille en piquant des bouchées d'omelette, vent solaire rend tous les œufs clairs, vent haut produit des côs, vent bas produit des poules.

— C'est ben vrai, disait Norine.

Elle se levait, et jetait sur le feu quelques brindilles crépitantes. Il n'en fallait pas davantage pour que le bonhomme repartît. A chaque geste familier, à chaque mouche qui bourdonnait, il accrochait une histoire nouvelle, un dicton, un conte d'autrefois :

— Ça me rappelle les brandons, disait-il, quand on allait au soir, le dimanche des Rameaux, promener autour des blés les torches de paille qui flambaient. Tu n'as pas chanté ça, toi, mon garçon !

Et il chantait, en litanie haute et traînarde:

— « Brandons, brûlez, par les vignes et les prés. Sortez, petits mulots, des blés, allez-vous-en au bois fouiller. S'il vient un prêtre, donnez-lui des guêtres. S'il vient un capucin, donnez-lui un quart de pain. S'il vient un grand larron, donnez lui cent coups de bâton ! »

Le lapin était sur la table, dans une sauce blonde épaissie de farine où les petits oignons embaumaient.

— Allons, mange, mon Raboliot ! Je suis content de t'avoir là. Comme on dit, pas vrai? N'a pas bonne fête qui met quelqu'un dehors.

Raboliot souriait, un peu triste. Il y avait des moments, tout à coup, où le bavardage de Touraille avait fini de le distraire, n'était plus qu'un murmure importun. Il songeait à Sandrine. Il se disait : « Ça n'est pas étonnant qu'à vivre auprès de celui-là, elle ait fini par avoir la cervelle trop bourrée. Ça lui a molli la cervelle, à force ». Le vieux, lui, avait bonne tête : il ne risquait rien à tant apprendre. Et tous ces dit-on de naguère, toutes ces croyances qui troublaient nos anciens le laissaient au fond bien tranquille, car il avait la peau du cœur épaisse. Mais Sandrine... Elle s'émouvait d'un rien, et elle croyait à tout, aux fables, aux propos des commères, aux mots imprimés dans les livres, bien plus crédule encore quand ce qu'on lui donnait à croire la remuait toute, lui faisait peur. Qu'est-ce qu'elle fourbançait dans sa tête, toute seule, pendant que Raboliot se nourrissait à la table de Touraille, se faisait du lard de feignant?

La langue du beau-père continuait son tapage, faisait à ses oreilles un clapotis claquant, comme dans la rivière les pales d'une roue de moulin. Il parlait, justement, de sorciers inconnus qui provoquaient à leur gré les orages, groupés en rond dans un étang, la nuit, soulevant l'eau à grands coups de battoirs jusqu'à des trente pieds de hauteur, et poussant des cris affreux : tant que le soleil à son lever se retirait, glacé d'épouvante, et de trois jours n'osait plus reparaître. « Et c'étaient des gars, chuchotait Touraille, dont on ne se serait pas douté, des pésans ben inoffensifs d'apparence, tels que moi, si tu veux, tels que moi. »

Voilà des choses qu'il n'aurait pas dû dire, ou du moins pas devant tout le monde. Il y a des gens, même aujourd'hui, qui se frappent pour bien moins que cela. Mais peut-être, après tout, que Touraille connaissait mal sa fille: puisqu'il parlait pour son plaisir d'abord...

Une grande claque sur l'épaule éveillait Raboliot :

— Hé là ! garçon ! En voilà une figure ! C'est à ta prison que tu penses? Fais donc comme moi, bon d'la ! Est-ce que j'y pense, à ta prison ?

Et il criait, de belle humeur pour trois :

— Allons, Norine, fais-nous frire des beignets ! et va qu'ri une bouteille de vin !

Raboliot finissait par céder. Le vin coulait frais dans la gorge, vous laissait au palais une rustique et bonne âpreté. Sous leur croûte dorée, les beignets vous brûlaient la langue, s'amollissaient de farine onctueuse, de pomme fondante, pesaient à l'estomac comme du pain sans levain.

— Encore un ! C'est toujours autant de pris...Et fais-nous du café, Norine !

Une vraie noce en famille, entre quatre murs et la porte fermée, de celles qui ne doivent rien aux voisins. Touraille décrochait son violon, et raclant de l'archet fredonnait des ariettes anciennes.

Las ! qu'avez-vous, la belle,
Qu'avez-vous à pleurer ?
Ah ! si je pleur', si je soupire,
C'est pour vous avoir trop aimé.

Une chanson que chantait Sandrine, une chanson langoureuse qui vous tirait les larmes des yeux. Raboliot l'avait trop entendue, celle-là ; et de nouveau, il était triste. Alors Touraille, debout, battant la mesure du sabot, tout le buste balancé en cadence, attaquait *la fille aux dragons* :

La pauvrette est partie,
Son paquet sous le bras.
Sa mère tant pleura,
    Trépassa,
Sa mère en trépassa.

Les dragons, ils l'ont prise.
Du soir jusqu'au matin
L'ont fait gagner son pain,
    Sans chagrin,
L'ont fait gagner son pain.

Est-ce que la vie est déjà si joyeuse qu'il faille encore, en son par-dedans, se forger des soucis, en fabriquer d'imaginaires ? Comme si les embêtements n'étaient pas assez vite arrivés ! On se combat, arriéze ! On joue du violon, un moment, avant de retourner au travail : voilà comment agit un homme sage, et le contentement de soi lui rayonne par toute la poitrine, le récompense légitimement.

Ils retournaient s'asseoir dans l'atelier, devant l'établi. Raboliot, sur ses genoux, regardait ses mains inutiles, et qui pourtant savaient faire tant de choses : nouer les collets, par exemple, ou promener dans la nuit le long rayon de la lanterne, ou encore abattre les pins. Il demandait avec humilité :

— Qu'est-ce que je peux pour votre service ?

— Essaye voir de me trier les yeux.

Il essayait, fourrant ses doigts dans les boîtes de carton, parmi les petites boules brillantes. Il apprenait à les connaître, depuis les grains de jais minuscules qu'on pique dans la tête des passereaux, jusqu'aux pièces travaillées et très chères, les gros yeux à pupille allongée, dont l'iris est semé de paillettes d'or bruni (et ce sont des yeux de chevreuils) ou mélangé de rendures violettes (et ces yeux-là sont ceux des sangliers).

Certains jours, les meilleurs, Touraille parlait du braconnage d'autrefois :

— Moi aussi, je l'ai fait, puisque je suis Solognot de Sologne. Je n'avais pas huit ans qu'on disait déjà de moi : « Il est plus roué, ce drôle, que les fesses d'un postillon ». C'était ben vrai que je ne savais quoi inventer. Les lance-pierres à élastiques, les « fluquoires » de sureau qu'on bourrait avec du chanvre, ça ne me suffisait pas. J'avais bricolé une arbalète qui lançait des flèches de maran [1]. Un jour, au bout d'une flèche, j'ai lié un couton d'épine noire, et d' là, caché dans un fossé avec d'autres drôles de mon âge, j'ai piqué la grande treue de la ferme : elle s'est ensauvée en couinant, avec sa flèche plantée dans le gras

1. De jonc.

des reins, et qui tenait solide, et qui ballottait de première à chaque saut que faisait la treue. Tu parles de rire, garçon ! Mais s'il y en a un qui ne s'est pas vanté du coup, c'est moi.

« Une fois plus vieux, quand j'ai été bouère[1], j'en ai tendu des sauterelles dans les blés ! On enfonçait une tige flexible en terre, par le gros bout, et on pliait le petit bout vers le sillon, avec un collet en crin. La perdrix se prenait par les pattes, la tige faisait regippe [2] et te l'enlevait en l'air, cré bon sang ! Et les trabuchets qu'on tendait en haut des buissons de houx ! Et les tire-pieds ! Et les gluaux !

« Pour les gluaux, j'étais le roi, je peux le dire sans me vanter. Ah ! garçon, j'en ai fait de ces parties, tout seul ! Je choisissais ma place au bois, dans une clairière, près d'un petit arbre isolé. Il fallait émonder l'arbre, ne lui laisser que les maîtresses branches. On y faisait des entailles très légères, à fleur d'écorce, juste de quoi y pincer les gluaux. Tout le monde ne savait pas préparer de bons gluaux. Moi, je savais : je prenais la deuxième écorce des houx et la mettais pourrir dans le fumier ; une fois pourrie, je la faisais bouillir dans un pot, je la lavais à l'eau courante pour la débarrasser des saletés,

1. Pâtré.
2. Ressort.

tant et tant qu'à la fin il ne restait que la glu pure. J'enduisais donc, avec, des petites ramilles de genêt, et ça faisait des gluaux *esstra*. Tu me vois d'ici au pied de mon arbre, dans ma cabane : même pas un cul-de-loup enterré, rien qu'une petite hutte dressée avec des branches *foillues*. J'appelais, à la pipée, tantôt en craillant comme un geai, tantôt en sifflant comme un merle. Je n'avais pas besoin d'appeau : rien que ma bouche, et c'était ça ! Fallait voir les oiseaux rappliquer, pas seulement les geais et les merles, mais avec eux les pies, les grives, les étourneaux. Ça claquait des ailes sur ma tête, ça faisait un train de tous les diables ! Et mon arbre ! Il en était couvert ! Et je te tombe sur les gluaux, et je me colle les plumes, et je me fiche par terre en gigotant ! Quel tableau, garçon, quelle récolte ! Tu comprends bien qu'elles ne tenaient guère, mes ramilles de genêt : un rien engagées dans la fente. Au premier battement d'ailes, au premier coup de patte pour se déprendre de la glu, paf ! en bas ! Ça me dégringolait sur la tête, des fois. Quand il y en avait assez, je sortais de dessour ma cabane, et je te remplissais mon sac : des fricassées, garçon, on en avait son las dans les fermes où j'étais gagé !

Touraille secouait sa tête, et l'on voyait qu'elle était lourde de souvenirs :

— Un bon temps, disait-il. Possible qu'on avait plus de mal, qu'on vivait moins gras qu'aujourd'hui, le ventre plat et les joues creuses. Mais quoi, on vivait tout de même. Quand les fièvres vous faisaient guerlotter, on se couchait par terre en attendant que ça vous quitte. Et puis après ? On était jeunes, ou je l'étais, ça revient au même. Et tellement plus libres, allons ! sans tous ces gardes, sans tous ces hommes du saint Hubert que font venir les proprios, et qui traînent déguisés à travers le pays. Les étangs ? Elles étaient quasi à tout le monde. Les landes itou, et les taillis, où un chacun pouvait faire passer ses vaches à sa guise...

Le vieux, jusqu'à la noirté de la nuit, laissait couler ses souvenirs. Et c'était, avec eux, toute la Sologne d'autrefois, celle d'avant les pineraies, d'avant les routes et les chemins de fer, qui se reprenait à vivre. Et il semblait à Raboliot qu'il avait connu, comme Touraille, les longues friches où daillait [1] le bétail, les pentes couvertes de broussailles et d'ajoncs avec des marais dans les creux, où de maigres brebis pressaient leurs dos laineux autour du berger immobile, un taciturne qui connaissait toutes les étoiles et savait la prière aux loups.

Norine allumait deux bougies, fichées dans

1. Errait.

des litres vides. La tombée cendreuse du soir floconnait en silence aux rives de la clarté tremblante, pénétrait lentement le bonhomme, l'inclinait à la mélancolie : « Maintenant, on ne savait plus vivre ; on avait des bougies, des lampes à pétrole, une société parlait d'installer l'électricité au bourg. Et puis après ? Autrefois, on avait les *oribus*, les longues chandelles de résine que l'épicier vendait en paquets, et qu'on appelait aussi des pétrelles à cause du bruit qu'elles faisaient en brûlant. On les serrait dans la fente d'une baguette qu'on enfonçait entre deux briques, sous la hotte de la cheminée ; et la mèche de ficelle pétillait, postillonnait des gouttelettes chaudes, et sa chanson vous tenait compagnie... »

— C'est ben vrai, approuvait Norine.

— Aujourd'hui, reprenait Touraille, on n'ose seulement plus bouger, tellement on risque. Va-t-en braconner, pour voir, à l'hallier ou au billonnier ! D'abord on ne pourrait même plus tendre, avec ces chaumes tondus à ras de terre par la faux ou la mécanique. Dans les temps les chaumes étaient hauts, on moissonnait à la faucille. C'était une belle chasse encore : on dressait son filet au débouché des sillons, quand on avait dépeint [1] les perdrix rouges. On contournait le champ pour

1. Aperçu, découvert.

se placer sous leur vent, et on les rabattait en choquant ses sabots, tout en marchant, ou alors on tapait, l'un contre l'autre, deux cailloux. Les rouges piétaient, hardi ! à toutes pattes, venaient donner dans le filet, s'emberlificotaient dans les mailles : à la main, qu'on les cueillait, et souvent toute la compagnie. Ah ! la belle chasse !... Et c'est fini. Essaye un peu, si tu aimes les coups de poing, les crosses de revolver assénées sur le crâne... Et tu as tort quand même, et il y a toujours au bout de l'amende et de la prison. Les sauterelles que je te parlais tout à l'heure, les trabuchets dans les buissons, il n'y avait pas un pésan aux champs, pas un vacher, pas un gamin qui ne connaissait la musique. Même les drôlines s'y employaient, en surveillant leur troupe de dindes ! Et aujourd'hui c'est « amendable », il faut bien se tenir tranquille.

Il finissait, Touraille, par agacer Raboliot. Tant mieux donc, si l'on risquait ! Tous ces regrets, ces jérémiades, est-ce que ça pouvait changer quelque chose à ce qui existait maintenant ? Hier est mort, puisque c'était hier. Et c'est aujourd'hui que je vis. Au lieu des lanternes de jadis, — voici que Touraille les regrette, — des caisses en bois vitrées sur un côté où vacillaient deux flammes de chandelles, j'ai les phares à acétylène, leur rayon cru et violent que darde au loin le projecteur ; j'ai mon fusil à percussion centrale, et des cartouches à pleine charge dont la poudre blanche claque raide, autrement sec et gai que la poudre noire des anciens et son gros tonnerre enfumé !

Il regardait le cadran du réveil, sur la tablette de la cheminée.

— Sept heures cinq. Je peux m'en aller.

Il était libre, jusqu'au lendemain matin six heures. Il ne redoutait plus Bourrel ni personne, nulle part. Il s'en allait par le fond du jardin, pour ne pas révéler sa retraite, observait un instant, caché dans le trognard de chêne, et regagnait la route par les prés et les boqueteaux, bien au-dessus de sa maison, en faisant un grand détour.

IV

Il n'avait pas tardé à recouvrer toute sa confiance. La hardiesse en même temps lui était revenue. Quand il y songeait à présent, il avait même peine à comprendre sa défaillance du commencement : c'était la première fois qu'il s'était laissé pincer, voilà sans doute pourquoi l'aventure l'avait retourné. Et il y avait eu, aussi, les louches manigances de Volat, la couardise de Trochut, l'acharnement brutal de Bourrel, tout cela, sans compter d'autres choses qu'il avait seulement soupçonnées, dont le mystère l'avait découragé d'avance.

Ce qu'on peut être bête, des fois ! Heureusement que c'était fini. Peu à peu, il avait pris ses habitudes, des habitudes nouvelles, embellies d'imprévu, et qui étaient pourtant des habitudes. Il avait rencontré Berlaisier, Sarcelotte. Ils avaient causé, tous les trois ; et maintenant Raboliot savait, sans une faute, ce qu'il pouvait oser et ce qu'il ne pouvait pas.

A condition qu'il observât une maîtrise de soi vigilante, il était libre de vivre sans tristesse, et même, s'il le méritait, avec joie. Car c'est une joie, se possédant pleinement, d'aventurer sa vie aux frontières du péril, de le frôler à son vouloir, ou bien, d'un vif élan calculé juste, de bondir soudain au travers, comme on franchit d'un saut, à la Saint-Jean d'été, les braises rouges des feux de joie.

Il savait aujourd'hui que Bourrel n'avait pas le droit de l'arrêter dans sa maison, que sa maison était inviolable. Une fois le soir, la nuit venue et sept heures sonnées, les routes mêmes lui étaient permises. Il pouvait, si ça lui chantait, entendre la messe à l'église ; et il ne s'en faisait pas faute, glorieux qu'on le vît et qu'on admirât sa crânerie. Sa bicyclette l'attendait à la porte, et il croyait en ses jarrets.

Il savait bien, surtout, que les gens étaient avec lui dans cette joute qu'il menait contre la loi et les gendarmes. Presque toutes les maisons du village s'ouvriraient devant ses pas, au bon moment ; et la porte des fermes s'ouvrirait, ici ou là, dans les cantons de chasse où il recommencerait de travailler.

Il y avait eu des alertes : elles n'avaient fait que l'exciter, que l'affermir dans sa confiance et dans sa force. Un matin qu'il était dans sa maison, on avait frappé à l'huis. Et il avait dit à Sandrine : « Va voir qui c'est ». Elle n'osait pas, peu brave comme elle était. C'est justement pourquoi il lui avait répété : « Va voir ».

Elle avait tiré le vantail, doucement, et aussitôt pâli de crainte, avec un ou deux pas en arrière. Seigneur Dieu, c'était Bourrel ! Raboliot s'en était bien douté.

Il s'était approché sans bruit, pendant que Sandrine allait ouvrir. Il se tenait derrière la porte. Et la tête du gendarme apparut, joviale ; et il disait avec une feinte bonhomie :

— Je passais comme ça, la patronne... Ayez pas peur... Je suis venu pour causer un brin, en bon accord.

Mais ses regards fouinaient partout, et il avançait déjà la jambe.

— Qu'est-ce que tu veux ?

Ma foi oui, c'était Raboliot, tout à coup surgi devant lui, les bras croisés, ses yeux noirs plantés droit dans les yeux pâles du roussiau.

— Je suis chez moi, peut-être !

— J'y suis aussi, défia Bourrel, avec un geste de l'épaule, en biais, pour se couler entre Raboliot et Sandrine.

Mais Raboliot, d'une voix très calme :

— N'approche pas : je te refuse l'entrée.

Il avait bien dit ça, avec une dignité si merveilleusement jouée qu'elle ne prêtait pas à rire. Il ne claquait plus la porte, à présent. Il était trop maître de lui, et même, à dire le vrai, il s'amusait bien trop pour se laisser aller à la colère.

— A la prochaine fois, Bourrel ; sans rancune !

Dans le fond, il était resté gamin : quand on n'a guère plus de trente ans, malgré les cahots de la vie, malgré la guerre que l'on a faite, on sent monter en soi, certains jours, des poussées de jeunesse, des élans de gaîté plus vifs que des cabrioles. On ne cabriole pas, bien sûr, on demeure tranquille d'apparence, mais la gaîté vous brille aux yeux, y fait danser de petites lueurs légères... Et quand Bourrel les aperçoit, ces lueurs, c'est lui qui frémit de colère. Et il serre les dents sans rien dire. Et il s'en va, montrant son dos boulu de muscles, qu'on devine sous le drap rêche contracté de mauvaise rancune.

— Tu as vu ? Tu as vu, Sandrine ?

Il faut qu'elle ne soit plus dolente, qu'elle prenne sa part de cette gaîté.

— Ils ne peuvent rien, je te dis, aussi longtemps que je me garde !

Mais Sandrine continue de voir les yeux pâles et méchants de Bourrel, son uniforme, son dos brutal.

— Ah ! gémit-elle, combien ça pourra-t-il durer ? Un jour ou l'autre, ils te prendront, il faudra bien que tu y passes... Et moi, et les petits, qu'est-ce qu'on deviendra, je te demande ?

— Laisse donc, laisse donc, répond Raboliot. Ça durera longtemps, sois tranquille, aussi longtemps que je voudrai. Je ne suis pas tout seul, Sandrine. J'ai des amis partout entre Sauldre et Beuvron : la place est grande pour travailler !

— Mais ceux-là qui t'en veulent, Raboliot? Il y en a aussi, je pense.

Voilà comme est Sandrine, toujours tourmentée d'inquiétude, l'esprit toujours porté au noir. Même quand elle se tait, ses silences vous serrent la poitrine. Raboliot parle, pour tâcher d'échapper à cette étreinte obscure, et qui fait mal. Jamais Sandrine ne parle la première. Elle se contente de lui répondre, et toujours avec douceur, et toujours des choses qui découragent : alors pourquoi a-t-il parlé? Il regrette à présent le silence de Sandrine. Et voici qu'elle se tait, et il voudrait l'entendre encore.

L'Edmond, le Léonard étaient à la « petite école », Sylvie, la dernière née, presque toujours dormait dans sa berce. C'était trop *ch'ti*, ce monde, pour vous venir en aide. Et même le sommeil de Sylvie, ou ses sourires jaseurs sur les genoux de sa mère, ou son geste goulu vers le sein veiné de bleu — car elle tétait encore, la mâtine, à son âge ! — c'étaient des choses qui faisaient mal, qui serraient la poitrine tout comme les silences de Sandrine, sans qu'on pût expliquer pourquoi.

Il n'y a qu'un recours, qui est de s'en aller ailleurs, d'aller chercher ailleurs des raisons d'être joyeux, de réchauffer en soi cette ardeur qu'y éveille la lutte, cette fierté de beau joueur en quête d'applaudissements. C'était malheureux à dire : le seul endroit au monde où Raboliot se sentait mal à l'aise, c'était sa propre maison, c'était l'air où respiraient les créatures qu'il aimait le mieux. Encore des choses difficiles à comprendre, et pourtant vraies, comme la souffrance qu'elles apportaient.

— A la tienne, Berlaisier ! A la tienne, Sarcelotte !

On peut s'attabler chez Trochut, crânement, et choisir le jour du marché : ainsi toute la campagne vous voit et s'ébahit de votre audace.

— Une manille? Un truc?

— Une manille !

La salle de l'auberge était pleine. Les gros souliers, les sabots-bottes traînaient sur le parquet de sapin. Il pleuvinait, derrière les vitres voilées de rideaux blancs. Des flaques de boue rampaient sous les tables, où s'éteignaient les mégots, où giclaient les crachats des fumeurs de pipes.

— Héha ! Boissinot ! Malaterre !

Ils étaient venus aussi, ceux-là, depuis Malvaux et Buzidan. Ils s'approchèrent de la table ; la pluie dégoulinait aux bords de leurs grands feutres noirs.

— C'est toi ? C'est toi ? s'étonnèrent-ils.

— Comme tu vois, triompha Raboliot. On fait une manille, comme tu vois.

Il abattait ses cartes sur le tapis, cognant du poing, à chaque coup, entre les verres pleins de vin rouge. Un frémissement léger lui courait à fleur de peau. Il s'écria, avec un rire :

— Tu diras à Volat que tu m'as vu, hein ? Que ça ne va pas trop mal comme ça...

Il ajouta, au bout d'un moment :

— Comment qu'i'va, lui, Malcourtois ?

Boissinot, Malaterre se penchèrent : il y avait bien du monde, dans l'auberge.

— Il est arrivé des choses... commença Boissinot.

— Les faisans d'élevage... continua Malaterre.

— Ben quoi ? Ben quoi ? Vous pouvez y aller, bon Dieu ! On n'est que des amis, dans la cambuse !

Et il appela, en cognant plus fort sur la table :

— Ho ! Bec-Salé ! Un litre encore, avec deux verres ! Et siésez-vous là, vous deux !

Boissinot, Malaterre s'assirent. Ils racontèrent :

— On a volé des faisans en volière, au Bois-Sabot, une bonne douzaine de poules, moitié autant de côs... Les poules n'étaient point trop vaillantes, des jeunes, et malades du bâille-bec. Mais les côs, vingt dieux les belles bêtes ! Demande donc à Trochut, pour voir.

Le gros homme écarta les bras, pressa son cœur de ses deux mains :

— Moué ? Moué ? bredouilla-t-il.

— Ah ! vieille ficelle !

Raboliot lui tapa sur le ventre : il ne lui en voulait plus, à Trochut. C'était un homme qui faisait son métier.

— Sacré chameau !

Les rires déferlèrent. Trochut lui-même, s'il ne dit rien de plus, condescendit à sourire, d'un sourire gras qui lui boucha les yeux.

— Mais voilà, reprit Malaterre. Ça a fait vilain, au Bois-Sabot ! Quand le comte a su la nouvelle, il en a raconté long ! Et il a demandé, au télégraphe, qu'on lui envoye des gars du saint Hubert.

— Ça s'pourrait même, dit Boissinot, qu'ils soyent déjà dans le pays.

— S'ils n'y sont pas, ils sont toujours pas loin.

— On en a vu deux hier soir, à la gare. Ils sont descendus du traindevay, habillés en électriciens.

— Chez moi, dret le matin, j'ai eu deux gars à la maison. Ils m'ont demandé pour des mouches à miel, si j'avais pas des fois à leur en vendre : ça n'était pas les mêmes que d'habitude.

— Quand je m'en suis venu au bourg, sur les neuf heures, j'ai dépeint sur la route deux traîniers qui n'avaient pas tellement bon air. Ils m'ont arrœillé en passant... C'était au-dessus de l'Aubette justement, pas bien loin de chez toi, Raboliot.

Les voix se pressaient, les visages se rapprochaient. A la table où buvait Raboliot, ils étaient maintenant une dizaine. Ils surveillaient les autres tables avec des coups d'yeux en coin, et chuchotaient, tout affriandés de mystère :

— Regarde çui-là un peu, à gauche de la porte.

— Le vieux hottu [1] ?

— Çui-là, oui. Sûr et certain, sa barbe est fausse.

— Non da, je le connais ! C'est un homme de Tremblevif, un nommé Molland.

— Et çui qui entre... Taisez-vous, bon sang !

— C'est Boutonnet, allons ! le fermier de Chantefin.

Peut-être l'avaient-ils reconnu tout de suite. Mais ils s'étaient plu, un instant, à le laisser dans le lointain étrange où sa silhouette se perdait, brouillée par la fumée des pipes, par la

1. Voûté.

buée d'eau qui s'exhalait de toutes ces épaules humides.

« Les gars du saint Hubert sont au pays » : ces mots-là résonnaient dans la tête de Raboliot, ils y faisaient comme un bourdon de cloches. « Les gars du saint Hubert »... Qui donc ? Des inconnus, des gars qui passent, déguisés en pésans, en ouvriers, en travailleurs des bois. On ne sait pas quand ils sont arrivés, ni s'ils sont là, ni quand ils arriveront : ce sera la nuit, en secret. Mais comment seront-ils camouflés ? Et où se cacheront-ils le jour ? Dans quel château, dans quel pailler de ferme, dans quel cul-de-loup, dans quel taillis ? Et qui les verra, le premier, vraiment eux, qui les reconnaîtra sûrement ? Les gars du saint Hubert... Cré bon d'la, ça n'était guère drôle !

Raboliot eut conscience que toute son ardeur s'éteignait, que ses yeux s'éteignaient, qu'il avait froid. Il avala son verre de vin rouge, et se mit à crier à tue-tête :

— Je m'en fous ! Je m'en fous ! Et encore je m'en fous ! C'est à moi qu'ils en ont, hein ? C'est bien moi qu'ils veulent chauffer, pas vrai ?

— Dame, reconnut Boissinot. Ils ont dit que le gars qui avait volé les faisans, tu devais le connaître de près.

— Qui a dit ça ?

— Volat, donc.

— Et on l'a cru, dis, on l'a cru?

Raboliot s'était dressé, soudain blême et les yeux agrandis.

— Moi? Moi? balbutia-t-il.

Et sourdement, secouant la tête :

— J'ai point fait ça ! Ma grand'foi devant tous, j'ai point fait ça.

Et il cracha, le bras étendu.

— Allons, garçon... intervint Malaterre.

— On l'a cru? répétait Raboliot.

Ils le regardaient, sans sourire. Mais on voyait bien à leur air que tout au fond d'eux-mêmes ils avaient prêté foi à ce qu'on leur avait dit.

— Tancogne l'a cru, toujours, fit Boissinot. Et le comte aussi, je pense. Et ils t'ont donné aux saint Hubert... Et on a vu Bourrel au Bois-Sabot, c'est sûr. Il est déchaîné après toi : tu feras bien de te garder, petit.

Raboliot, de ses deux mains, serrait le bord de la table. Toujours très pâle, il ne faisait pas un mouvement ; mais deux des verres, qui se touchaient bord à bord, tintaient sans trêve à grelottement léger.

— Ma grand'foi... recommença-t-il.

Il comprit soudainement que toutes ses protestations seraient vaines, encore heureux si elles ne lui faisaient point de tort. Une grande lassitude l'accabla, la sensation d'être écrasé sous le poids d'un sort méchant. On le vit allonger le cou, à droite, à gauche, pousser du front ainsi qu'une bête qui va foncer. Et sa colère creva, roula son flot comme à la brèche d'une digue rompue.

— Ah ! le menteur ! Ah ! le puant ! Il a dit ça ! Il m'a sali ! Crapaud, serpent, merde du diable ! J'en aurai ma vengeance, les hommes ! Il regrettera de m'avoir barré, je vous le dis, il s'en mordra les poings, le mauvais ! Et l'autre, le Bourrel, qu'il y vienne aussi, celui-là ! La prison, les tribunaux, il en est tout glorieux, tout raidi ! Qu'il y vienne, avec sa prison ! Je ne les crains ni l'un ni l'autre, je me fous d'eux, je les rejette !... Et je m'en vas, tiens ! Je m'en vas dret au-devant d'eux, n'importe lequel, le premier qui voudra s'y frotter ! Ah ! j'ai volé des faisans en volière ? Ah ! je suis un voleur ? Est-ce qu'il est au pays, Malcourtois, aujourd'hui ? Est-ce qu'il viendrait répéter ça ici ?... Laissez-moi passer, vous autres, je vas le qu'ri ! Laissez-moi, je vous dis ! Je veux passer !

Ils le maintenaient, inquiets de sa colère, des éclats violents de sa voix. Dans la salle comble, on se levait, des visages se tendaient par-dessus des épaules. Le gros Trochut se précipita, la bouche ruisselante d'adjurations :

— Tais-toué, mon gars ! Par bonne amitié, Raboliot... Par respect pour ma maison... Mais t'es pas fou ? Mais tais-toué donc !

Et Boissinot, et Malaterre le rasseyaient presque de force. Et ils disaient, comme le gros Trochut :

— T'es pas fou, Raboliot ? C'est-i' que tu es fou perdu ?

C'était la vérité : il venait d'être fou perdu. Il se connaissait bien pour avoir le sang chaud, la crête rouge, tout de suite enclin aux « promptitudes ». Ça tombait vite, par exemple, et quand c'était tombé, il en gardait un peu de honte. A quoi ça rimait-il, ces menaces dans le vide, ces coups de gueule contre des absents ? A le trahir, à gâcher tout son jeu d'avance. Pareil train de paroles, c'est preuve de faiblesse bien souvent, et de crainte. Qu'est-ce que les autres allaient penser de lui ?... Humilié, mécontent de soi, il se raidit immédiatement, s'efforça de ne plus entendre ces chocs sifflants qui lui battaient aux tempes.

— Faut la justice, déclara-t-il enfin. On est ce qu'on est, mais faut la justice.

— Bien sûr, approuva Boissinot.

Ils prirent les cartes, et recommencèrent la partie. Raboliot n'était guère au jeu. Entre chaque manche il se reprenait à parler, d'une voix qu'il voulait paisible, mais qui tremblait encore un peu.

— Ça n'est pas que je les craigne, disait-il. Depuis quinze jours qu'ils sont après moi, je leur en ai fait voir, du pays ! Avant-hier encore, le Bourrel a bien cassé son nez. Est-ce qu'il s'est vanté de l'affaire, au Bois-Sabot?

Il en revenait à sourire, réconcilié avec lui-même :

— Comment, vous n'savez pas? Tout le bourg en a rigolé. Il m'avait guetté des heures, dans la carrière en côté de chez nous. Il tombait de l'iau tel qu'à présent, il avait de la glaise enfondue jusqu'aux fesses. Je l'ai bien vu quand j'ai rentré de chez le beau-père, sept heures passées, en fumant ma cigarette : il a même pu en sentir l'odeur... Qu'est-ce qu'il a fait? Il a couru prévenir M. Bergeron, le maire, de s'amener le lendemain au jour. Et tantôt lui, tantôt Boussu ou Dagouret, ils ont surveillé ma maison la nuit durant ; il y serait resté tout seul, acharné comme je le connais. Et toujours de l'iau, les gars, vous vous rappelez si ça tombait ! Ils avaient dressé un baquet en travers, et ils prenaient faction dans c'te guérite, boulés comme un chien dans sa niche... Seulement moi, je ne me doutais pas qu'ils avaient prévenu le maire. Et quand M. Bergeron s'est amené, j'étais encore au lit, en bourgeois... Bon. Voilà qu'à l'habitude on cogne un coup dans la porte : c'était alentour de sept heures. Sandrine se lève, en chemise, et elle demande derrière le vantail : « Qui c'est qu'est là? » Vingt dieux ! Voilà M. Bergeron qui répond : « C'est moi, Sandrine. Faut ouvrir. » Et qu'il ajoute : « Je suis revêtu de mes fonctions de maire. J'ai droit d'entrée. » Et c'était vrai. Et le Bourrel qui allonge ses histoires : « Au nom de la Loi... Réquisition... Force publique... » Le sang ne m'avait fait qu'un tour, j'étais debout. Sandrine, elle, elle s'était ensauvée près du lit, tremblante comme feuille. Je lui souffle : « Faut gagner ren qu'une minute. Réponds que tu vas leur ouvrir, le temps de passer un jupon... » Et elle leur dit ce que je lui disais de leur dire. Et pendant ce temps-là, j'empoigne mes drôles, tous les trois, et je les couche dans le grand lit. « Ecoute, Sandrine, quand tu leur auras ouvri, tu retourneras près du lit des garçons, comme si tu y avais couché. » Et je me glisse sous la couette et la paillasse du grand lit, avec les trois drôles par-dessus. Ils sont entrés, M. Bergeron, les gendarmes. Ils ont fouiné partout, perquisitionné comme ils disent, ouvert la maie, le bureau, regardé sous les lits, même retourné celui qui était vide. Quand ils sont arrivés au mien, ils n'ont même pas eu une doutance, devant les trois gamins mussés nez contre dos, ou peut-être qu'ils n'ont pas osé... Moi j'avais chaud, mais j'étais bien tranquille, j'avais seulement peur que Sandrine se trahisse. Mais elle avait repris assurance. Elle les a conduits au grenier, dans la laiterie, partout... J'entendais le Bourrel qui répétait : « Il est icite, j'en suis sûr et certain. Il ne peut pas être ailleurs qu'icite. » Et je te fouine encore, reniflant comme un chien sur le pied. « Vous voyez bien que non, Bourrel, disait M. Bergeron. Faut vous rendre à l'évidence : il aura trouvé moyen de s'ensauver. » Combien de temps ç'a-t-i' duré ? Une bonne demi-heure pour le moins. Bon Dieu que j'avais chaud, les amis ! A moitié étouffé, mais content. Et quand ils sont partis, le Bourrel ben camaud, tu parles d'une séance de rire ! Sandrine elle-même ne pouvait pas s'en empêcher... A ta santé, mon vieux Bourrel ! Une fois qu'il a été sortu, je lui ai filé sous le nez pour le plaisir, aussitôt sauté sur mon vélo, à toutes pédales du côté du Beuvron. Et je me retournais de loin, en lui faisant au revoir avec la main. Ah ! mes gars, la gueule qu'il faisait !

Il se rengorgeait, Raboliot, sous les bourrades qui lui secouaient l'épaule, dans le tonnerre des rires qui roulaient autour de la table. Un orgueil lui était venu, une admiration de soi-même, du personnage qu'il jouait et que les autres admiraient. Mais il ne s'apercevait pas qu'il en était déjà le prisonnier, qu'il se guindait un peu plus chaque jour à la semblance de ce héros factice, et qu'il ne pouvait plus maintenant fléchir, ainsi gâté de gloriole enfantine.

Il se montrait dans le village. La nuit tombée, on le voyait traîner par les rues. Et il disait à qui le rencontrait : « Je m'en vas rendre sa politesse à Bourrel ». Il faisait les cent pas devant la gendarmerie, fumait sa cigarette en attendant le retour des gendarmes, et, quand ils revenaient, achevée leur tournée du jour, il leur tirait courtoisement sa casquette, en se plaçant exprès dans la lumière d'une boutique.

— Allons, Aïcha ! Fais ton salut.

Il avait bien dressé la noire. Chaque fois maintenant qu'elle apercevait un gendarme, elle levait une patte à la façon des chiens : il y avait des gens qui suivaient Raboliot pour voir ça.

Il se montrait aussi sur les routes, poussant son vélo à la main. Et toujours Aïcha marchait sur ses talons. Et elle prenait le trot dans sa roue, sans un ordre, si Raboliot sautait en selle à la vue d'un képi bleu. Cette petite bête, bonnes gens, elle était espritée autant qu'une personne naturelle.

Et Raboliot, encore, retourna vers la Sauvagère, rôda par les bois de Bouchebrand. Entre tous les cantons de chasse, celui-là l'appelait d'un attrait invincible. Il souhaitait et craignait ensemble de rencontrer le grand Volat. Souvent, tapi dans un buisson de ronces, il regardait la masure affaissée, et le vieux merisier dont les branches éraflaient le toit. Et des envies l'empoignaient tout à coup de se lever, de crier à découvert : « Hé ! Malcourtois ! Je suis là ! Si on causait un peu, tous les deux... »

Où ça pouvait-il le mener, ces bêtises ? Tous les jours à présent il retournait vers la Sauvagère. Il avait vu Tasie sur le bord de l'étang, et il s'était montré, de loin, en agitant le bras au-dessus de sa tête. Elle l'avait bien aperçu, Tasie, et reconnu avec Aïcha près de lui. Raboliot avait distingué ses dents blanches, découvertes dans un rire d'amitié : chacun sait bien, pardi, que les femmes sont sensibles à la hardiesse des beaux garçons... Et la Flora ? Qu'est-ce qu'elle devenait, celle-là ? Elle en avait des yeux, la coquine ! autrement vifs que ceux de Tasie, et des dents bien plus blanches, et des cheveux plus noirs et luisants... Est-ce que Sandrine avait cette gaîté, ce feu au corps qui vous brûlait à l'approcher ?

Et Raboliot revenait chaque jour, ne sachant trop ce qu'il cherchait, mais audacieux à se montrer, menant sa ronde autour d'un péril imprécis, de plus en plus serrant sa ronde comme une phalène autour de la lanterne, une nuit de chasse.

Tant à la fin qu'un soir, dans les bois de la Sauvagère, Tournefier le joignit au tournant d'un sentier d'agrainage. Il avait son fusil à l'épaule, et dans la main un sac de jute où soubresautait quelque chose, probablement une poule faisane trouvée captive en visitant ses mues. Raboliot s'était arrêté court avec

Aïcha dans ses jambes, un pied suspendu, prêt à la fuite. Mais il n'éprouva point de surprise, au signe que Tournefier lui fit tout à coup d'approcher.

Le garde semblait mal à son aise. Des deux hommes, c'était lui qu'on aurait cru fugitif et traqué.

— Salut, Firmin ! dit Raboliot.

Mais Tournefier, très vite, avec des regards en tous sens :

— Fous le camp, Raboliot ! Et ne reviens pas de longtemps. Je voulais te le dire une fois, en bon accord, avant qu'il ne soit trop tard : va-t-en traîner tes guêtres ailleurs, loin d'ici, le plus loin que tu pourras...

Il était rouge, Tournefier. Il parlait d'une voix essoufflée, pressante, avec toujours ses regards tourmentés.

— Je ne devrais pas te le dire, allons... C'est un coup à perdre ma place... Si des fois on nous avait vus... Et tu amènes ta chienne, encore!

Raboliot eut un rire fanfaron, un de ces rires qu'il avait souventes fois, à présent :

— Ici? Qui donc pourrait nous voir? Un écureuil dans un sapin? La caillasse qui craille là-haut? Méfie-toi, mon Firmin ! Elle s'envole vers le Bois-Sabot. Elle va rapporter à Tancogne qu'elle nous a vus frayer ensemble.

Mais Tournefier devint plus grave, et sa voix baissa davantage :

— Garde-toi, Raboliot, je te le dis... Il y en a qui sont après ta peau, il y en a...

Et Raboliot, haussant les épaules :

— Je te les nommerai bien, ceux-là, toute la liste sans une faute : Malcourtois, Bourrel, Tancogne... C'est-i' ça? Les gars du saint Hubert, que tu dis? Je sais leurs noms itou, en attendant d'apprendre leurs figures : Lépinglard, Piveteau, qu'ils s'appellent... C'est-i' ça?

Tournefier regardait Raboliot avec des yeux tout drôles, où se devinaient sa stupeur à le voir ainsi changé, et sa réprobation, et peut-être sa pitié. Il allongea le bras vers lui, le poussa en arrière, sans violence :

— Fous le camp, je te dis ! C'est bien trop causé déjà.

Et tandis qu'il poussait Raboliot ses yeux se faisaient suppliants, et sa voix toujours basse prenait une troublante puissance :

— L'air est malsaine ici, dangéreuse à respirer. Il y a ceux que tu as dit. Et peut-être qu'il y a autre chose. Je ne sais pas moi-même, c'est à croire que les arbres ont des yeux... Ah ! va-t-en, Raboliot, va-t-en vite ! Il y en a lourd sur ta tête ! Si j'étais à ta place, cent bons dieux ! je ne la lèverais pas si haut.

Tournefier fit demi-tour, et fila raide par le sentier. Au bout de quelques pas, Raboliot le vit prendre sa course : pas possible? C'était lui qui se sauvait.

Il essaya de rire encore. Mais personne n'était là pour le voir et le cœur soudain lui manqua. Une gêne s'insinuait dans son être, une espèce de clarté glacée. Il lui semblait que s'en allaient de lui, une à une, les guenilles éclatantes qu'il exhibait aux yeux des gens, qu'il était nu, chétif et malheureux.

— Aïcha !

Il se pencha vers la petite chienne, d'un geste tendre et familier lui prit la tête dans ses deux mains. Et il plongeait ses yeux au fond des prunelles rousses, transparentes de tiède amitié, comme pour leur demander un conseil et un recours.

— Qu'est-ce qu'il a voulu dire, Firmin ?

Ça n'était pas une femme, Tournefier, mais un gaillard de bon jugement, un homme solide et bien résous. De l'avoir vu ainsi troublé, Raboliot demeurait perclus. Sans même s'en être aperçu il avait quitté le sentier, et par un taillis de bouleaux regagnait la route de l'Aubette ; son vélo l'attendait par là, dissimulé dans un roncier.

— Ah ! laisse donc ! On verra toujours !

Mais il pressait le pas, d'instinct, comme si des regards l'eussent suivi en effet, dardés d'ici et puis de là, on ne savait de quel côté entre les petits arbres blancs. Les bouleaux étaient très serrés : ils se haussaient d'un jet vertical, jaillissaient comme des fusées grêles vers la lumière d'un ciel blafard. Et d'autres, n'ayant pu l'atteindre, fléchissaient dans un renoncement navré. D'autres encore avaient fini leur vie, tombés en travers de leurs frères, accrochés dans leur chute à la fourche de deux branches, ou bien, ayant trouvé la terre, étendus de leur long, tout blêmes sur le terreau noir.

Raboliot à présent courait presque, dans une hâte d'être ailleurs, hors de ce taillis grelottant, de ne plus sentir sous ses pieds le tremblotement du sol spongieux, de ne plus entendre alentour ces crépitements menus et furtifs, comme de brindilles brisées au passage d'un être vivant. Une branche craqua, un peu plus fort. Il s'arrêta tout net, se retourna, se frotta les yeux : décidément il avait la berlue ! Rien ni personne ne remuait plus à la place où il avait cru voir... Mais qu'est-ce qu'il avait cru voir ? C'était de couleur sombre, cela flottait comme une fumée, ou se traînait à ras de terre, il n'avait pu bien distinguer. Un vertige léger balançait les bouleaux trop pâles, toutes ces écorces plus blanches que des linges ; un écœurement presque physique en venait à Raboliot. Par hasard, il abaissa les yeux vers sa chienne, et il la vit qui hérissait le poil, qui troussait les babines en grondant à fond de gorge. Elle aussi, alors ? Devant eux retentirent encore les mêmes crépitements furtifs, qui s'éloignaient, qui faiblissaient. Une queue de vent, sur leurs têtes, fit cliqueter doucement les ramilles.

— Allons, Aïcha !

Tant qu'il fut dans le bois taillis, il continua de parler à la noire. Cela lui redonnait confiance d'entendre sans répit le son de sa propre voix.

— On s'en va, oui, pour le quart d'heure. Mais on verra plus tard, on reviendra, est-ce pas ma belle?

Et peu à peu les petits arbres se clairsemèrent. De grandes loques de ciel mauve pâlirent sur l'horizon des champs, assombris davantage, sous le mauve monotone de la nuée, par une mince ligne de clarté soufreuse. Les étangs de Chanteloup, d'Hardillat, du Cué de la Guette la reflétaient de l'un à l'autre, la prolongeaient, horizontale, au miroir de leurs eaux immobiles.

C'était le soir. La route mouillée de pluie paraissait violette, trouée de flaques livides et pures. Un silence endolori s'alanguissait par l'étendue.

Hors du roncier où il l'avait cachée, Raboliot tira sa bicyclette. Et il gagna la route, à pas pesants et la tête basse, vers un maigre buisson qui bordait le fossé. Ce fut à ce moment que la chose arriva. Une voix cria :

— A nous deux, mon gaillard !

Cette voix, vibrante, l'avait frappé en plein visage. Surgi hors du buisson, Bourrel se tenait devant lui. Raboliot vit qu'il était seul. Il crocheta, son vélo à l'épaule, vira sèchement, avec assez d'adresse pour que la roue arrière heurtât Bourrel au ventre, le fit chanceler une seconde : et déjà il était en selle, poussait à fond sur les pédales, le visage fouetté d'air vif.

Il ne se rendit pas bien compte tout d'abord. Très vite pourtant il eut conscience qu'il était seul, sans le trot d'Aïcha près de lui. Et dans l'instant il se souvint d'un claquement qu'il venait d'entendre, pareil au choc d'un marteau sur une planche. Pédalant toujours, il regarda par-dessus son épaule, et vit Bourrel debout sur la route. Le gendarme, la tête un peu penchée, regardait à ses pieds une petite masse sombre et velue. Le revolver qu'il tenait au poing étirait encore dans le soir un fil de fumée bleuâtre, paresseux à se dissoudre.

V

Parce qu'on a dans sa maison une femme et trois petits, il faut bien se remettre au travail. Malgré un jugement de prison, malgré les ennemis qui vous guettent, il faut bien rapporter au nid de quoi nourrir toute la couvée.

On travaille seul, avec une méfiance farouche. On fuit les hommes dont on a le dégoût. A se sentir épié sans trêve, harcelé, où qu'on aille, d'une surveillance mystérieuse et tenace, on confond ceux qui vous haïssent dans la même rancœur révoltée, on ne connaît même plus ses ennemis. La seule compagne qu'on aurait eue, un gendarme l'a tuée d'une balle de revolver, dans votre dos, par traîtrise méchante. On ne garde plus d'elle que la vision d'une petite chose noire qui tache une route aux pieds de son assassin.

Boissinot? Malaterre? Ils avaient leur maison et leurs champs, et leur gibier aussi, dont ils devaient être jaloux. Mais Sarcelotte? Mais Berlaisier? Est-ce qu'on savait? Il y a dans chaque homme un être qui se cache, que personne ne peut découvrir, pas même l'homme qui le cache en soi. Raboliot, à de certaines heures, avait l'angoisse et la crainte de lui-même : « De quoi est-ce que je suis capable, allons ? »

Touraille, il s'en apercevait bien, ne l'accueillait plus qu'à contre-cœur. Le vieux ne lui faisait pas de reproches, pas encore, mais il multipliait les conseils : « Change de commune, si tu es trop guetté chez nous. Je connais des gars qui n'ont pas peur d'aller loin... N'as-tu pas ton vélo, de bonnes jambes ? On fait du chemin dans une nuit ! » De paroles, Touraille n'était jamais avare.

Raboliot n'avait plus qu'une maison, la sienne ; dans sa maison une Sandrine pâle et triste, pliant la nuque à tous les coups, et trois drôles qui tendaient le bec, qui n'avaient pas la gale aux dents. Sandrine, chez M. Bergeron, faisait deux heures de ménage chaque matin : et voilà que c'était fini. Le maire en avait pris une autre, en disant à Sandrine qu'il lui trouvait petite mine, qu'elle avait besoin de repos. Ces quarante sous de tous les jours étaient partis.

Il y avait bien une autre maison, au pays ; deux petites chambres très propres, mais où il ne faisait guère chaud. La vieille Montaine, pour sûr, n'aurait rien reproché à son fils. C'était son fils qui se tenait loin d'elle à cause d'un souvenir ancien, de ce père braconnier qui était mort à la prison, pour un coup de talon qu'un homme du saint Hubert lui avait donné dans le ventre : la pauvre vieille, elle en avait assez lourd à porter !

Les journées se suivaient, mauvaises. Le pire de tout, peut-être, c'était cette menace multiforme, imprécise, qui traquait Raboliot partout, qu'il traînait nuit et jour, collée à lui. Des rages le secouaient souvent à ne pouvoir la contempler en face, la camper devant lui, comme un être dont on mesure la force avant de l'étreindre à pleins muscles. Souvent aussi une détresse l'amollissait, un renoncement affreux qui coulait en lui comme de l'eau, ne lui laissant au cœur qu'un grand besoin d'être vaincu. Quand Bourrel avait tué Aïcha, une fois tombé le premier bouillonnement de colère, il avait dit avec tristesse : « Est-ce que Bourrel va m'arrêter encore, parce qu'il a tué Aïcha ? »

Heureusement pour Raboliot, ses sens ne renonçaient jamais. Ils continuaient leur vigile attentive, ils le servaient avec une merveilleuse fidélité. Mais à quoi bon ? Tous les avertissements qu'ils lui donnaient, c'était pour l'empêcher d'agir. L'ennemi était partout. Quelquefois il avait le visage de Bourrel, et quelquefois celui de Malcourtois. Ou bien c'était un vieil homme voûté qui portait une toque de fourrure, qui toussotait en mâchant des pastilles. Et plus souvent c'était une foule changeante où passaient tour à tour des silhouettes connues, les jambes arquées du comte de Remilleret, les joues sanguines de Tournefier, et la bedaine de Trochut. Même, il y avait des instants où cette foule menait sarabande, entraînant avec elle des gens que Raboliot était surpris d'y voir, et triste. Il se disait à les reconnaître : « Même Tasie, alors ?... Et toi aussi, mon gars Sarcelotte ? et voilà Boissinot, Malaterre, et je m'y attendais un peu... Pourquoi pas toi aussi, Berlaisier ? » Et Berlaisier paraissait comme les autres avec son visage de bonne pâte, son encolure de bœuf, ses mains énormes. Sarcelotte riait, le nez si fort troussé qu'on voyait ses narines sans qu'il levât la tête, comme deux petits trous noirs au milieu de sa figure... Raboliot ne pouvait pas savoir qu'il provoquait lui-même toute cette troupe à le poursuivre, que ces gens qui semblaient accourir, c'était lui, Raboliot, qui s'élançait au-devant d'eux, les poursuivait, chacun, d'une ardente investigation.

Qui encore ?... Il y avait les gars du saint Hubert, il le savait, mais il ne pouvait pas les voir. Chaque passant inconnu était d'avance un ennemi. Des visages aperçus à peine, il ne se rappelait ni où ni quand, il les retrouvait tout à coup dans sa tête, il les mêlait à la procession. Mais qui ? Mais qui ?... Ce Bourrel, ce Volat détestés, il leur savait presque gré à présent de les connaître pour les malfaisants qu'ils étaient, de connaître surtout la haine qu'il leur avait vouée. Car il y en avait bien d'autres, qui pouvaient être au loin cette fine silhouette de laboureur penché sur les mancherons de sa charrue, ou ce vieux qui tournait le dos, écorçant dans une taille des billes de maritimes, ou l'homme qui avait laissé là cette bicyclette toute seule, avec une gibecière au guidon et le goulot d'un litre dépassant.

Quels autres ? Est-ce que c'étaient des gens ? Ou bien une force maligne, un esprit tourmenteur, surnaturel ? A la longue, une crainte superstitieuse se faisait jour en Raboliot, le rejetait aux épouvantes ancestrales. Alors il se raillait lui-même. Il repuisait courage en la violence même de sa crainte : quand on voit une birette la nuit, son grand linceul où tremble une lumière, on peut la dominer si on lui saute bravement sur les épaules. Il le ferait, nom d'un diable ! Il ne se laisserait pas noyer ! Une prescience soutenait son courage, un avertissement continu de son corps, mille souvenirs de sensations.

Quand il rôdait la nuit par les landes de la Sauvagère, le fusil prêt ou des collets à la ceinture, il percevait obscurément, mais d'une intuition décisive, l'imminence de la menace. Avait-il aperçu, entendu quelque chose? Peut-être ; à peine. Il n'aurait pas su dire si c'était un frémissement de feuilles, un pétillis de brindilles écrasées, un grattement d'étoffe accrochée par une ronce : la menace était là, il le sentait, et qu'il ne pourrait pas cette nuit faire claquer les cartouches, ni lever les collets tendus, à la bougie, avant que l'aube ne parût.

Et toutes les nuits c'était pareil. Et dans le jour aussi, bien souvent, un souffle froid à fleur de peau, un léger tressaillement du poil tout à coup le mettaient sur ses gardes. Et toujours rien, pas un vrai bruit, pas une ombre devant ses yeux... Ou si, peut-être, comme le soir où Bourrel avait tué Aïcha : une ombre à peine, une sorte de fumée qui flottait entre les branches, qui glissait au ras des broussailles.

Est-ce que cette vie allait durer longtemps? Est-ce que ça l'amusait de se sauver ainsi chaque fois, juste au bord de son travail? De rentrer chez lui les mains vides, de s'y bauger d'interminables heures en attendant une occasion qui bien sûr ne viendrait jamais, puisqu'il allait, dès la sortie prochaine, renifler le péril et se sauver encore? Est-ce que décidément il était incapable d'en finir?

Une nuit de lune brouillée, il saisit son fusil, mit dans sa poche une douzaine de cartouches, et monta vers la Sauvagère.

C'était une belle nuit de perché, baignée d'une pâle clarté diffuse, ruisselante d'une pluie fine et molle, presque tiède. Il allait arpenter la grande plaine de Buzidan, toute entière, et visiter l'un après l'autre ses quatre chênes solitaires : pas un, sûrement, qui ne portât dans sa ramure cinq ou six faisans endormis.

Il avait chaud à cause de cette pluie douce, chaud à la peau, et chaud dans le fond de sa chair. Son cerveau fermentait d'images, et son cœur lui poussait le sang dans tout le corps, à battements appuyés, réguliers, fiévreux à peine.

Il allait vers les petits chênes et les voyait avant de les avoir atteints, tassés sur la lande pâle et nue, arrondis en manière de bouquets. Il marcherait tout droit vers eux, à découvert, il lèverait le nez vers leurs branches, et tirerait sur les boules de plumes qu'elles portaient comme de gros fruits. Dans sa poche il tâtait ses cartouches : elles étaient légères à ses doigts, chargées seulement à demi mesure de poudre, pour détoner moins fort et moins abîmer les faisans. Mais aurait-il dû, cette nuit, brûler des cartouches à pleine charge, il aurait tiré quand même, il s'en était fait le serment !

Il atteignit le faîte de Buzidan et découvrit la plaine laiteuse, trempée de lune mouillée où les chênes courts de pied arrondissaient bas leur ramure. Ils émergeaient du lac lunaire, tous les quatre, pareils à des îlots robustes. Raboliot les regardait, content de les voir entourés de cette étendue dépouillée, de cette clarté largement étale. Et une pensée qu'il agitait obscurément s'illumina tout à coup en lui-même, à l'image loyale de la plaine : « On me verra tout clair, là-dedans... Mais peut-être que je verrai aussi ». Et il descendit vers les chênes.

Il traversa un labour sablonneux, puis un champ aplani au rouleau, net comme une table de billard. Il ne se cachait pas, il marchait d'un pas vif, sans courir ; il offrait sa forme d'homme ainsi visible de toutes parts, se tendait en appât à l'ennemi. Quand il atteignit la breumaille, il continua d'aller tout droit, sans presser ni ralentir l'allure. Mais il perçut avec plus de force cette chaleur qui l'accompagnait, allégeait tout son corps et affinait ses sens. Ce fut comme si son être se creusait, en marge de ses pas, en marge du coup d'épaule qu'il inclina pour faire glisser la bretelle de son arme, de tous les gestes qu'accomplissaient ses muscles : il y avait une fois pour toutes la souplesse inconsciente de ses fibres, et puis cette sensation d'attente, de vide tiède et tendu, déjà sonore. Les bruyères qu'il frôlait en marchant faisaient contre ses jambes un bruit râpeux et bien rythmé. Avec le murmure de la pluie, — un grésillement de gravier fin à travers les touffes fanées, — c'était tout ce qu'il entendait. De loin en loin les bruyères s'écartaient, et laissaient voir entre elles des flaques de sable blanchoyantes.

Il fut bientôt au premier chêne, et s'arrêta. Les faisans dormaient sur les branches, perchés si bas qu'en avançant encore un peu, il les aurait touchés, semblait-il, de la main. L'égouttis monotone de la pluie enveloppait le sommeil des oiseaux, ils n'avaient pas entendu les espadrilles du braconnier. La tête dressée, il les compta : ils étaient cinq, bien détachés sur le ciel pâle. Il contourna le chêne avec d'infinies précautions, cherchant la place où il les verrait mieux encore, groupés plus serrés dans un clair, et souleva doucement son fusil vers son épaule. La crosse touchait déjà sa joue, quand éclata en lui la certitude de n'être plus seul : la menace approchait, quelque part, et déjà elle était sur lui. Il ne fit pas un mouvement, le canon du fusil toujours pointé vers les faisans comme s'il allait lâcher le coup. Mais il ne tira point. Il écouta intensément, de toute sa chair.

Cela s'approchait vers la gauche, un froissement long dans les bruyères à travers le grésillement des gouttes, et peut-être cette ombre fumeuse qu'il avait cru d'autres nuits entrevoir, qu'il entrevoyait à cette heure sans qu'il eût remué davantage, qu'il pressentait à son côté, tournant les yeux, au bord extrême de son champ visuel. Et cela s'arrêta, se confondit avec les bruyères sombres. Et il y eut un bond de Raboliot, son fusil jeté derrière lui, une chute violente de tout son corps rué en avant, et contre son visage un cri douloureux et aigu, une plainte folle qui le bouleversa.

— Pauver'piaule ! Je t'ai fait mal.

Elle s'était effondrée sous son poids, pliant comme une herbe fauchée. Les mains de l'homme, déjà dénouées, sentaient encore la minceur frêle des épaules qu'elles avaient meurtries. Dans la clarté lunaire, il distinguait de grands yeux sombres, pleins d'une détresse animale et poignante.

Il la souleva, contractée de terreur, la maintint devant lui toute proche, les doigts fermés autour des poignets grêles :

— Qui c'est, celui qui te lance contre moi ?

Elle se taisait, avec des soubresauts nerveux, si raides que Raboliot dut serrer les doigts davantage.

— Je ne te ferai plus de mal. Mais tu vois bien, allons, qu'il faut parler !

Il ajouta, la voix plus rude :

— Si tu appelles, je t'emmène avec moi.

— Appeler ? dit-elle. Bouchebrand est loin.

— C'est donc Volat qui t'envoyait ?

— Oui.

Au frémissement des doigts qui l'étreignaient, elle perçut la colère de l'homme, et devina d'instinct quelle haine le possédait. Elle dit alors, sans plus lutter :

— Pas la peine de me tenir : je vous raconterai ben sans ça.

— C'est toi la drôline de Bouchebrand ? fit Raboliot. C'est toi Souris, la poque [1] à la Flora ?

— Oui.

Il comprenait déjà presque tout. Une pitié lui venait au cœur devant ce dérisoire ennemi, ce bout de fillette maigrichonne, mouillée de pluie sous ses guenilles. Arriéze ! Il s'était élancé à pleine force, les dents serrées, les poings tendus : et il avait rencontré ça ! Le souvenir lui revenait de toutes ses angoisses passées, de toutes les chasses qu'il n'avait pas faites, de toutes les bêtes qu'il n'avait pas tuées. Quelles mauvaises heures à la maison, Sandrine toute pâle et silencieuse, les enfants mal nourris qui déjà craillaient la faim, et sa révolte à lui, ses renoncements, ses peurs, ses humiliations, ses colères ! Et tant de peine à cause de ça, de ce grillon noiraud, de cette gale de rien du tout ! Que ne l'avait-il calottée

1. Fille.

jusqu'au sang, la vicieuse !... Mais en même temps qu'il songeait à ces choses, sa pitié grandissait devant la faiblesse de Souris, devant sa présence fragile.

— Pauver'piaule ! dit-il encore.

La sale bête, c'était l'autre, le Malcourtois, le grand Volat. Raboliot le pensait si fort qu'il l'exprima sans le vouloir, à voix très haute :

— Ah ! le mauvais !

— Pour sûr, dit la Souris.

Elle était rassurée tout à fait, si joyeuse de l'être qu'elle en était à peu près ivre. Et elle parla, et elle en dit rudement long : toutes ses courses furtives derrière le braconnier, depuis les jours de pêche aux étangs, depuis la nuit où il avait porté les lapins chez Trochut... Le soir où il avait colleté, c'était elle qui l'avait trahi, [1] cherchant ses places au bois de la Sauvagère, elle qui l'avait dénoncé à Volat, à Monsieur Tancogne. Et c'était à cause d'elle que Tournefier l'avait pris, qu'il lui avait flanqué un procès... Pourquoi elle avait fait ça ? On lui avait ordonné de le faire, on lui avait promis que Volat ne la battrait plus. Et puis ça l'amusait, pour tout dire, ça lui était plaisir d'épier ainsi sans être vue, de se couler dans les broussailles, de se jeter à terre tout à coup, de se coller contre le tronc d'un arbre ou de

1. Découvert, surpris.

grimper lestement dans ses branches. Bien des nuits, quand Raboliot traînait au bois, elle était perchée sur sa tête, « capie » au joint de deux grosses branches ; elle le voyait sans qu'il la vît, et elle en était toute brûlante. Et quelle joie, encore, de se laisser glisser au sol, de reprendre le pied derrière lui, rampant, se faufilant, sans un bruit ! Et ces battements brusques du cœur, quand Raboliot se retournait, en alerte !

Il regardait Delphine, tout remué. Il l'admirait pour la si bien comprendre : c'était un maître jeu qu'elle avait mené là ! Si ch'tite, et si pleine de malice ! A présent qu'il savait, qu'il l'avait trahie à son tour et qu'il ne la redoutait plus, il ne lui en voulait pas un brin, il n'avait pour elle qu'indulgence.

— Et si des fois, comme ça, je t'avais envoyé du plomb?

Elle eut un petit geste insouciant :

— Pas de danger ! Je suis tellement peu grosse...

— Et si des fois tu recommences, dis donc?

— Pas de danger, fit-elle encore.

Ses yeux brillèrent, elle secoua violemment la tête :

— Je les aime pas. C'est des menteurs. Il m'a battue encore, malgré ce qu'on m'avait promis.

— Et moi? demanda Raboliot.

— J'aime mieux vous... Oh ! c'est pas pareil.

Elle eut vers l'homme un geste d'abandon, — la tête penchée, la hanche appuyée contre lui, — si féminin qu'il en fut troublé : voyez-vous cette drôline ! C'était bien la fille de sa mère...

Et elle parla encore, contre ceux qui l'avaient envoyée, contre Volat surtout, avec une rancune forcenée :

— Ah ! pour sûr que j'en sais ! Il se cache ben serré, il est rudement subtil, mais moi j'ai tout appris quand même !

Elle ajouta, un peu obscurément :

— Pourquoi que je saurais voir clair seulement quand ils voulent que je voye ? On n'est pas maître de ses yeux, pas vrai ? Si on en a des bons, on les a bons pour tous et pour chacun.

Raboliot l'écouta longtemps, et il n'eut rien de mieux à faire. Par intervalles, une secousse de joie retenue le parcourait, et il murmurait à bouche close : « Bien... Bien... Ça va bien, mon garçon ». Quand Delphine eut enfin achevé, il eut envie de la soulever vers lui, d'embrasser son étroit visage à travers ses cheveux mêlés. Il n'osa point le faire, paralysé par une inexplicable gêne, mais il lui dit avec douceur :

— Donne ta menitte.

L'enfant abandonna sa main. Ils marchèrent l'un près de l'autre vers la grande allée de Malvaux. Et, dès qu'ils l'eurent atteinte, arrêtés sous un épicéa de bordure :

— On se reverra? dit Raboliot.

Elle se pressa de nouveau contre lui. Et il lui chuchotait, de tout près, ses volontés :

— Tu vas t'en aller à Bouchebrand, puisque c'est là-bas qu'ils t'attendent. Tu leur diras que tu m'as vu par icite, de l'autre côté de Malvaux, à toucher le pont du canal...

— Et vous irez par là? dit Delphine, montrant au nord, à l'opposé, la grande plaine qu'ils venaient de quitter.

Elle riait, complice, toute à la griserie du jeu :

— On a fait ensauver les faisans dans un chêne. Mais il en reste encore, dans les trois autres...

— Ah ! chenille ! dit Raboliot.

Il riait aussi, intimidé bien qu'il en eût par l'astuce de la gamine.

— Et où ça qu'on se reverra? demanda-t-il.

— Eh ! n'importe pas où ! Je saurai ben vous retrouver encore...

Elle se coula dans le fossé. Rêveur un peu, Raboliot la regarda disparaître : une petite forme sombre, imprécise, une fumée silencieuse, et elle n'était plus là.

TROISIÈME PARTIE

I

Un homme qui fut bien étonné, le lendemain, ce fut le comte de Remilleret. Il était descendu de sa maison du Bois-Sabot vers les étangs de la Patte d'Oie, pour une promenade matinale : une habitude à laquelle il tenait, féru d'hygiène, soucieux de se tenir en forme maintenant que la soixantaine approchait, avec ses crises de goutte et ses menaces d'artério-sclérose.

L'aube froide avait laissé aux branches, aux aiguilles des sapins, aux mailles des clôtures grillagées, de fines arabesques de givre. C'était au haut des arbres, là où s'affinent et s'évasent les ramilles, que c'était le plus joli. Le ciel, tout à l'heure plombé, semblait monter de minute en minute, s'alléger, s'évaporer. Il y eut un instant où les cimes givrées des arbres se fondirent dans sa blancheur, et puis elles furent blanches de nouveau, et brillantes, à cause du bleu tout frais qui s'éployait là-haut.

M. de Remilleret allait bon pas, attentif à

bien respirer, à baigner jusqu'au fond ses bronches d'un air salubre et vivifiant, de temps en temps fléchissant les genoux pour en éprouver la souplesse. Le souffle qu'il expirait s'en allait en buée légère ; le froid accentuait, à ses joues, un lacis de veinules violettes.

Il ne pensait quasi à rien, tout au plaisir de sa promenade. Un regain de jeune force le tonifiait de bonne humeur, un sentiment de vif bien-être qu'une phrase à haute voix formula : « Allons, je ne suis pas trop décati. »

Et le soleil sourdait de tout l'espace, un soleil neuf de nouvel an. Les étangs étaient bleus dans leur ceinture de roseaux jaunis, de broussailles rousses. A chaque instant, une pendeloque de givre qui fondait se détachait avec un froissement soyeux : c'était partout un frémissement pressé, une alacrité des choses où déjà tressaillait le printemps.

A la Patte d'Oie, où trois allées s'écartent en éventail, M. de Remilleret laissa à droite l'allée de Bouchebrand, à gauche celle de Malvaux, et prit au centre celle qui monte vers Buzidan. Le soleil était derrière lui et son ombre allait devant, glissait doux sur les mottes de sable, filait sur les touffes de bruyère où la rosée scintillait à mille gouttes.

Il s'attarda, une minute, à la queue de l'étang de Bouchebrand. La nappe d'eau fuyait d'une coulée pleine, admirablement lisse et pure.

L'eau noire, ce matin-là, était radieuse d'un grand reflet de ciel qui débordait sur les images des arbres, les dissolvait dans sa fraîcheur. A l'autre bout, sur un fond de prés vert, la masure de Volat se laissait entrevoir, blondie par la lumière et d'apparence presque aimable ; la ramure du vieux merisier reposait sur son toit de tuiles ainsi qu'une nuée délicate, transparente d'un glacis liliacé.

Le comte allait poursuivre sa promenade, quand il aperçut devant lui, sorti du fourré broussailleux qui dévalait jusque dans l'eau, un homme de petite taille, noir de moustaches et de prunelles. Il ne le reconnut pas sur le champ, tant la rencontre était pour lui inconcevable. Il y avait aussi cette barbe de quinze jours qui charbonnait le menton et les joues, ces feuilles mortes collées aux épaules, et cet aspect sauvage qui vous sautait aux yeux.

Mais l'homme retira sa casquette, et M. de Remilleret eut un haut-le-corps.

— Par exemple ! Voilà un fier toupet !

— Monsieur le comte, dit Raboliot, avec votre permittance, j'aurais deux mots à vous causer.

De stupéfaction grandissante, le châtelain demeurait pantois. Il se croisait les bras, très digne, toisait le gars du haut de sa tête ; mais il restait à court de phrases et ne trouvait à répéter que deux ou trois maigres paroles :

— Celle-ci est raide !... Fier toupet... Intolérable.

A cause de quoi Raboliot put nouer le fil de son discours et le dérouler tout du long :

— On m'a sali, commença-t-il. On a dit que j'étais un voleur, que j'avais pris vos faisans en parquet. C'est des menteries. Et les menteux, ce sont ceux-là qui m'ont jeté la honte pour écarter la méfiance de leur tête. L'homme qui a volé vos faisans, c'est le gars de Bouchebrand, c'est Volat. Et il les a vendus à Trochut, pas tellement gros d'argent vu que les poules étaient malades, qu'elles se languissaient du bâille-bec. Mais il est voleur par métier, voleur de tout et de n'importe quoi...

M. de Remilleret sourit, comme quelqu'un qui en sait long. Et Raboliot, devant ce sourire :

— Attendez voir, monsieur le comte... Je me doute ben, pardi, qu'ils ont su se garder. Ils sont malins, ils se soutiennent, et moi je suis tout seul contre eux. C'est pour ça justement que j'ai voulu vous causer : une fois que vous m'aurez écouté, vous pourrez voir, si vous voulez, de quel côté se tient la vérité.

Le braconnier parlait sans violence, avec une simplicité résolue. Il regardait le comte bien droit, mais il n'y avait dans ses yeux nulle bravade, rien qu'une clarté sincère et qui en imposait. M. de Remilleret avait le cœur honnête. Il domina sa méfiance première et laissa Raboliot parler, sans l'interrompre.

— Comment j'ai su tout ça, je ne m'en vas pas vous le dire : fallait que je le sache pour me défendre, pour les barrer comme je pourrais... Monsieur le comte, d'un bout à l'autre vous êtes trompé, volé, si tellement que c'est une dégoûtation. Voilà cinq ans que le Volat braconne sur vous, pas seulement au petit collet comme nous tous, au furet ou au grillage, mais au panneau, monsieur, au filet ! Il en a deux chez lui, fameusement longs, un de cent mètres, et un autre qu'il vient de finir à travailler dans son guernier, et qui en a ben cent cinquante... C'est qu'il a pris hardiesse, allez ! Il se sent soutenu, protégé. Et par qui ? Je m'en vas vous l'apprendre aussi : par votre fermier général, pas moins, par M. Tancogne...

« Vous ne me créyez pas ? Je m'en doutais. Mais renseignez-vous tout doucement, et peut-être que vous me crérez. Si M. Tancogne n'avait point partie liée avec lui, est-ce qu'il garderait sur vos terres un destructeur d'une pareille volée ? Ces deux-là sont d'accord, je vous le dis, et d'accord sur votre dos : il y a la poche de Volat où votre bel argent carillonne, et il y a aussi la poche de votre fermier général. C'est comme ça, pas autrement ; M. Tancogne vous en a volé des mille ; il est le chef, et Volat son vaque-à-tout.

« Et puisque le chef donne l'exemple, c'est la danse d'un bout à l'autre : vos métayers, ils vous volent ; et vos gardes comme vos métayers. Si ces gens-là vous avaient volé tel que moi, pas davantage, vous seriez plus riche que vous êtes. Je braconne ? Et eux, donc ! Je vous ai parlé de Volat, de ses filets à panneauter. Je pourrai vous montrer, quand vous voudrez, les passées au taillis où vos chevreuils viennent s'étrangler ; M. Tancogne partage, quand il ne vend pas tout lui-même.

« Les autres font ça moins grand, oui bien ; n'empêche que Boissinot et Malaterre savent se servir de leurs grillages. Des meusses [1] sous les fils de fer, c'est vite fait ; et les lapins y passent, entrent dans le champ et dévorent leur soûl. Boucher les meusses, ça n'est pas plus malaisé que de les ouvrir. Les lapins une fois enfermés, les gars s'amènent avec leurs chiens, font leur récolte de poil à nuit ; et quand arrive le jour, vous les voyez pleurer leur avoine et leur blé, crailler aux dégâts de gibier. Vous les avez nourris, et faut encore que vous payiez : c'est des malins qui cueillent des deux mains.

« Ils ont des trucs, Monsieur le comte, que vous ne vous doutez même pas. Ils inclinent le grillage sur le dedans du champ, un rouleau d'un mètre en hauteur, un bavolet de moitié

1. Passages.

par-dessus. Hop là ! les lapins grimpent, et les voilà à table. Mais pour sortir, avec cette pente à rebours ? Ils sont pris comme poissons dans la masse : les chiens ont belle de s'occuper encore.

« Ah ! pour sûr, ils en ont des trucs ! Je vous causerais deux heures d'affilée, je ne pourrais pas tout vous dire. Vos gardes, tenez... Voilà du monde honnête, et qui ne font pas grand mal. Non da ! Pas plus que tous les autres gardes ! C'est ben leur droit, pas vrai, de laisser repeupler les fauves, au printemps, autant dire d'élever sur votre chasse les putois, les renards et les fouines : la fourrure est plus belle en hiver, et donc plus chère ; tant plus qu'il y a de bêtes puantes, tant plus aussi de fourrures à vendre ; ça rapporte plus gros que les primes de gibier. Chacun connaît son intérêt, monsieur le comte, et chacun est honnête, excepté moi... Moi je suis un guerdin, une canaille, un mauvais gars ! Parce que j'ai braconné sur eux, ils m'en envoulent à ma perdition. Maintenant au moins, ils m'en envoudront pour quelque chose...

— Fort bien ! Fort bien ! dit enfin M. de Remilleret, Tout cela est parfait, mon garçon, mais où voulez-vous en venir ? Avez-vous colleté sur moi ? Mon garde Tournefier vous a-t-il surpris dans un bois de ma propriété ? Et le procès qu'il vous a dressé est-il valable, avec toutes ses conséquences ?

— Monsieur le comte, dit Raboliot, je ne veux en venir à ren...

— Eh bien alors, qu'attendez-vous pour déguerpir? Filez ! Filez ! Je ne vous aurai pas vu.

— A ren en tout, monsieur le comte, à présent que je vous ai causé. J'en avais un rude poids sur le cœur, et voilà que j'en ai moins épais... Pour le reste, vous en ferez comme vous voudrez.

Il sembla hésiter à poursuivre. Mais il était visible qu'il souhaitait dire encore quelque chose. Une gêne traîna entre les deux hommes. Enfin Raboliot :

— Je braconne, c'est la vérité. Mais comme tous ceux-là, au pays, qui n'ont pour eux que la chasse des autres : comme les valets des fermes, les cherretiers et les bauchetons, comme les bouères qui mènent le bestial, comme tout le monde... Pendant qu'on était à la guerre, il y a des femmes qui l'ont fait, monsieur, qui allaient au falot la nuit...

— Hé ! je le sais ! fit le comte avec humeur. Raison de plus pour nous défendre : mettez-vous un peu à ma place !

— Je voudrais bien, dit Raboliot.

Il secoua lentement la tête, démolissant du bout du pied, à petits coups, une motte de sable au bord de l'ornière.

— Il y en a, des pareils à moi ! Mais j'ai eu

moins de chance que les autres... On m'a cherché de la misère, et je pense ben, arriéze ! que ça n'est pas déjà fini. Tenez, monsieur, c'est le meilleur de tous, c'est Tournefier qu'ils ont envoyé pour me prendre. Et le gendarme qui a tué ma chienne, qu'est-ce que je peux sur lui, pour la venger ?

Il dit encore, comme malgré lui :

— Je ne suis pas un mauvais gars : je ressemble les ceusses de chez nous, c'est mon mal.

Et encore, incapable de s'en aller, cherchant comme un appui ou une approbation :

— Braconner n'est pas voler... On est ce qu'on est, mais faut la justice.

C'était les mots qui lui étaient venus un jour, dans l'auberge du gros Trochut. Et de même que cette autre fois, une détresse accablante l'envahit, une sensation affreuse de solitude et d'impuissance. Il s'aperçut que M. de Remilleret avait cessé de l'écouter, comprit qu'il ne l'écouterait plus. Alors il s'en alla, sans se presser. Mais il en gardait sur le cœur bien plus lourd qu'il n'avait espéré.

II

Volat, quand il avait du temps à lui, — il devait en avoir beaucoup, s'il fallait croire l'aspect de ses cultures, — le dépensait volontiers à la pêche. On le voyait souvent dans les prés du Beuvron, faisant danser une sauterelle ou une mouche, au pied des saules ; à moins qu'il ne descendît dans le lit même de la rivière, les bras nus jusqu'aux coudes et plongeant ses mains dans les chaves [1], pour y cueillir les carpes, les grosses tanches ou les anguilles. Souvent aussi il montait vers le canal du côté du pont de Malvaux, et trempait selon la saison le blé cuit, le porte-bois ou le ver rouge.

Il s'asseyait sur le talus herbeux, au bas du chemin de halage, jetait sa ligne dans l'eau et attendait que ça mordît. Cette attente végétative lui plaisait. Il ne cherchait pas dans la pêche, comme ceux qui l'aiment « par passion », les joies discrètes et fortes qu'elle prodigue à ses fervents. Il ne lui demandait, à l'ordinaire

1. Trous immergés, sous les racines des arbres.

qu'une occasion de solitude, de paresse rêvassante et jalouse.

Aussi fut-il de mauvais poil, ce matin de janvier, quand il vit s'approcher par le chemin de halage un flâneur qu'il ne connaissait pas. Cet homme venait à petits pas le long des bouleaux de bordure, une besace de traînier au flanc ; il tenait enfoncé dans sa barbe un brûle-gueule de terre calcinée, au tuyau tant de fois cassé qu'il n'avait presque plus de tuyau.

Petits pas à petits pas, l'homme bientôt fut tout près, et Malcourtois lui montra son dos.

— Ça mord un peu ?

La voix était bonasse et molle, une voix de franc feignant, sans malice.

— Guère, dit Volat.

Et son dos se fit plus hargneux. Mais l'autre, nullement découragé, s'assit pas bien loin du pêcheur, un peu au-dessus de lui ; et il tira de sa besace un quignon de pain, un hareng saur.

— Bon Dieu ! fit-il, je suis fûté [1] que le diable ! Ça fait du bien de s'arrêter une minute.

Il mangeait, à grosses bouchées qui lui bossuaient les joues. Malcourtois, derrière lui, entendait le bruit de ses mâchoires, un bruit lent, régulier, bovin. Et les minutes passèrent sans qu'il y eût rien autre chose que cette ru-

1. Fatigué.

mination placide, l'allongement mou du traînier dans l'herbe, et sous ses yeux le dos grinchu de Malcourtois. L'homme, enfin, s'essuya la bouche de la main, et plia son couteau qui fit un déclic sec.

— Ah ! un litre de rouge ! soupira-t-il. Ça n'aurait rien de sale, dis donc ? Mais faut ben savoir se priver... Faut s'contenter de ce jus de guernouille.

Il se leva, descendit vers l'eau glauque. Il la puisait dans le creux de sa main, et la buvait en aspirant très fort. Maintenant, c'était lui qui était aux pieds de Volat. Il se tourna vers Malcourtois, le regarda de près, tout en face, avec un bon sourire en largeur :

— J'ai ben deux cents francs dans ma poche, confia-t-il. Mais je les garde pour autre chose.

Il s'assit de nouveau, cette fois à hauteur de Volat, et poursuivit :

— Ça t'intéresse, la pêche à la ligne ? Je n'dis pas non, mais ça ne rapporte guère gros... Y a du poisson, dis donc, par icite ? Du gardon, de la tanche, du blanc ? Oui, c'est comme là-bas d'où que je rarrive... je veux dire dans le pays que j'habitais, mais je n'avais pas le droit de sortir, tu comprends ?

Il eut encore son large sourire :

— Deux mois de tôle, tu comprends ? A Bourges. Oh ! j'me plains pas : on n'était pas trop mal tout d'même. Et puis, l'habitude vient, à force... Question de pêche, tu me demandes ? Dame non ! La pêche m'intéresse pas, je te dis ! C'est la chasse, je vas te dire, c'est le lapin qui m'intéresse.

Le grand Volat tendit l'oreille. Un mot passa entre ses lèvres :

— Collet ?

— Dame non, fit l'homme. C'est trop facile de te faire poirer : tu poses une tente, un garde passe avec son chien, le cabot se prend par une patte, et voilà tes collets trahis. Quand tu t'amènes à la pique du jour, il y a quelqu'un qui t'attend gentiment, et tu es fait ni plus ni moins qu'un rat.

— Furet ? lança Volat.

— Non plus. Faut dresser un bon chien, c'est trop long. Je ne suis pas assez subtil pour prendre moi-même les lapins dans les bourses. Alors n'importe pas quel chien ? Une bête folle qui mène à pleine voix, qui gueule des bahulées, fi d'garce, qu'on entend à des kilomètres ? Te voilà bon encore, dis donc...

Il ne se pressait pas, le traînier. Il racontait sa petite affaire, comme quelqu'un qui a tout son temps : « Voilà, il lui était arrivé un malheur. Il s'était fait prendre à panneauter. Bien entendu, les cognes lui avaient confisqué le filet : ça ne leur coûtait pas cher, à eux... Mais lui, depuis qu'il était dehors, il voyageait à pied, barsant-fouëzant, et cherchait un bon coin pour se remettre à travailler. Est-ce que c'était franc, par icite?

— Pas trop, ricana Volat.

— Ah ! oui? Pourtant, j'ai vu un gars, à Bourges, qui m'a dit que je pouvais venir, que je trouverais à m'occuper. Il m'a donné un nom, justement... Est-ce que tu connaîtrais ça, des fois? Un grand maigre, qu'il m'a dit : Volat.

A ce coup, Malcourtois coula un œil en coin :

— Qui t'a dit ça?

— Un nommé Milorioux, un vrai, que tu as ben dû connaître... On l'appelait Bœuf-Gras, de ces côtés.

Le traînier se leva en soufflant. C'était un homme épais, sanguin. La prison l'avait alourdi, mais n'avait point pâli la couleur de ses joues. Il montra l'arche de briques jetée par-dessus le canal.

— C'est ben le pont de Malvaux? demanda-t-il.

— Oui.

— Et Bouchebrand, c'est ben par là?

— C'est donc à Bouchebrand que tu vas? dit Volat. Pour de bon?

L'homme ne répondit pas d'abord. Une inquiétude passa dans son regard, et aussitôt une lueur aiguë, courageuse, dardée aux yeux de Malcourtois :

— T'es ben curieux, dis donc... Et si je te demandais qui tu es ?

Cette méfiance rassura Malcourtois. Il répondit sèchement :

— C'est moi Volat.

— Oui ? Alors t'as ben connu, par Aubigny, le gars qui avait tiré sur le chef des saint Hubert ? Tu te rappelles ? Et ils ont fini par l'avoir pour une douille de cartouche qu'il avait jetée sur place : du calibre 24. Il était le seul au pays à se servir de ce calibre-là.

— C'était Bocquot, précisa Volat. Et nous autres, on l'appelait Gusse.

— Et le petit qui prenait tant de truites dans la Nère, chauve comme la main sur le dessus du crâne, mais poilu du menton comme un bouc ?

— Malandin, dit Volat. On l'appelait justement Fine-z-et-longue, à cause de toute cette barbe qu'il avait.

— C'est bon, reconnut l'homme. Je vois que tu es un vrai, que Milorioux m'a dit la vérité...

— Hé ! là ! dit alors Malcourtois. Chacun son tour ! Je t'ai fait réponse d'un bout à l'autre; mais toi, mon gars, tu ne m'en as guère appris sur toi-même : qui donc qu't'es ?

— Je suis Bonnenfant, si tu veux savoir. C'est mon nom de naissance, mais il m'allait si dret qu'on ne m'a point donné d'autre sornette : Bonnenfant, dit Bonnenfant.

— Et d'où qu't'es ?

— Je suis de plus loin en Berry, par la Chapelle d'Angilon. Mais j'ai travaillé un peu partout, et donc sur Aubigny, comme je t'ai fait comprendre. J'ai frayé par là-bas avec les mêmes gars que toi, mais toi tu venais de partir... Tu sais pourquoi ?

— C'est ben ancien, dit Volat.

— ... Un affût aux chevreuils, pas vrai ? Un sacré brouillard du matin. Et le chef des saint Hubert qui s'amène, ce chameau de Lépinglard... Toi aussi, camarade, tu lui as lâché ton coup de chevrotines !

Bonnenfant s'épanouissait. Il bourra joyeusement l'épaule de Malcourtois :

— Fallait pas le rater, vieux frère ! Bon débarras, si tu l'avais foutu par terre !... Mais dis donc, c'est pas l'afféze : ça me sèche le guéniau de causer. Tu connaîtras pas, au pays, une petite turne où on pourrait boire frais, et puis s'entendre tous les deux ? Y a Milorioux qui m'avait parlé d'un marchand, un gros...

— Trochut ?

— C'est juste ça... Alors, on y va ? Je trouverai ben tout de même de quoi payer un litre.

Volat suivit le trimardeur. Il était surtout intrigué : le nom de Milorioux, que l'autre avait laissé aller, venait de raviver en lui des souvenirs. Il se rappelait le temps où il avait tiré sur Lépinglard, où il s'était sauvé vers un autre canton, réfugié près de Milorioux. Et par chance, aussitôt, Milorioux à son tour avait eu des histoires, un coup de fusil trop vite parti, un garde blessé au visage dans les bois de Tremblevif, dix ans de prison pour la peine... Comme ça se trouvait ! La maison était chaude, la contrée richement pourvue, et le vieux Tancogne pas trop bête : ils s'étaient bien vite arrangés... Mais Milorioux? Il avait dû savoir, et qu'est-ce qu'il en pensait? Pour ce qui était de la chasse, Malcourtois était tranquille : il faut bien que tout le monde vive. Mais la femme, la Flora? Est-ce que Bœuf-Gras était jaloux? Est-ce qu'il en voulait à Malcourtois? Bien rare ! S'il lui en avait voulu; il ne lui aurait pas envoyé le copain. A moins... A moins, des fois, qu'il ne l'eût envoyé pour voir, pour espionner sur place, en mouchard... Il fallait en avoir le cœur net.

— Et Milorioux, dis donc, comment qu'i' va?

— Pas trop mal. Il prend patience.

— Et il ne t'a ren dit pour moi?

— Si ben, il m'en a même dit long.

— Et quoi donc?

— En un mot comme en cent, il t'en enveut pas. Il trouve que tout est ben comme ça.

— Et il t'a ren dit pour sa femme?

— Pour elle aussi, il trouve que tout est ben. Ça lui convient qu'elle soye timbée sur toi :

c'est un homme qui t'estime, tu comprends.

Ils contournèrent le bourg par les prés de la Sauldre. Elle coulait raide, gonflée à berges pleines, et luisait d'une éclat d'étain sous des nuages minces et mous, blancs de soleil caché. Sur les maisons de briques, coiffées d'ardoises, des fumées basses s'étalaient, immobiles. Par les pâtures bordées de peupliers, des vaches rousses et blanches vaguaient, ou ruminaient, couchées de biais dans l'herbe.

Il n'y avait personne chez Trochut. Ils commandèrent des œufs, les cassèrent tout crus dans un bol, et les battirent, assaisonnés de gros sel et de poivre.

— Apporte du rouge, dit Bonnenfant à l'aubergiste. Donne-z-en deux litres tout de suite, et puis laisse-nous : on a à causer.

— Alors ? interrogea Volat.

— Je croyais que t'avais saisi. Je suis démonté, mon gars, c'est pourtant clair.

— Et tu cherches un coup ?

— Je ne cherche que ça.

— Du gibier vivant ?

— Si tu veux.

— C'est que voilà, dit Malcourtois, le coup est fait à l'heure qu'il est : je connaissais un lot de faisans, ils sont partis. Ça n'est pas le moment de retourner s'y frotter.

Il réfléchit en silence, hésita, leva les yeux sur son compagnon :

— T'as de l'estomac?

— Encore assez.

Il semblait bien que le traînier ne se vantait pas. Il tenait étalées sur la table des mains puissantes ; ses bras, sous les manches de sa veste, se devinaient épais, musclés. Les épaules, l'encolure, tout le buste apparaissaient massifs et durs. Et le visage était celui d'un gars résous, mangé de barbe drue, pas affité [1] sans doute, mais viril, mais hardi, avec deux yeux en trous de pipe qui devaient ne se baisser que quand l'homme en avait envie.

Volat parla, lentement, avec des pauses, des reprises, des circonlocutions prudentes : « Il connaissait bien quelque chose... mais c'était gros, c'était sérieux. Et il faudrait attendre, peut-être quinze jours, peut-être un mois : un château de ces côtés, meublé de première, Tremblevif qu'on l'appelait. Les maîtres allaient partir, en février, pour le Midi... »

Bonnenfant l'interrompit net :

— Rien à faire, mon vieux. La cambrio, ça paye trop.

— Dommage ! murmura Volat.

L'autre emplissait les verres coup sur coup :

— Il est ben plaisant, ce picton ! Il coule sur la pente du guéniau sans qu'on le sente seulement passer.

1. Vif, éveillé.

— C'est du vin de Bracieux.

— Il est bon.

— I's'laisse boire, oui...

— Et t'as pas le coude fatigué?

— Ça commence.

Le verre du grand Volat cogna durement du fond contre la table. Il lança, tout à coup :

— On a fini, m'est avis? Alors on se quitte?

— Une minute, dit Bonnenfant... Je vois ben ce qui t'ostine.

Tout son buste penché s'appesantissait sur la table. Ses petits yeux regardaient Volat, sans ciller :

— T'as peur que je travaille sur toi, hein? Tu me prends pour qui donc? J'ai deux cents francs dans ma poche, je t'ai dit, de quoi payer assez long de filet. Chacun sa préférence ; et la mienne, c'est le filet : tu t'amènes tout à la douce, tu tends, tu rabats les lapins, tu les récoltes, et en route ! J'aime bien de voyager, je vas te dire ; un jour icite, le lendemain ailleurs. Ça n'est sûrement pas moi qui ferais tort à un copain ! Si Bœuf-Gras était là, il manquerait pas de te le dire... Que j'aie seulement un filet, bon Dieu ! Tu ne connais pas ça, voyons, quelque part dans le pays? Un bon gars qui aurait un filet à vendre? J'avais pourtant compté sur toi pour m'aider.

— Ecoute... dit Malcourtois.

Il recommença ses phrases lentes, ses tours

et détours de paroles. Penchés tous les deux sur la table, ils avaient l'air de deux flâneurs qui sont venus choquer leurs verres, histoire d'occuper un moment. Mais en leur par-dedans, il leur semblait à tous les deux qu'ils rôdaient l'un autour de l'autre, qu'ils se guettaient sans qu'il y parût, mine confite et pattes de velours, avec des griffes prêtes à s'écarter.

Il fallait pourtant aboutir. Le vin aidant, Malcourtois mit enfin les pouces :

— J'aurais peut-être ton affaire, chuchota-t-il... Un filet, j'en connais un... Oui... Et t'aurais pas à te déranger beaucoup.

— Il est long?

— Cent cinquante mètres.

— Ça va.

— Et combien que tu m'en donnerais?

— Trente sous du mètre : c'est le prix.

— Viens-t'en chez moi, dit Volat. En même temps, tu voiras ma femme.

Ils rappelèrent Trochut, et burent un litre encore avant de s'en aller. Il semblait à Volat que tout ce vin lui chantait dans la tête: deux cent vingt-cinq francs, c'était tout de même bon à prendre. D'un bout à l'autre du trajet, il chercha des raisons de s'approuver, de se réjouir de la rencontre. L'essentiel, c'était que le gars mît les voiles après avoir fait son emplette : deux cent vingt-cinq francs, oui bien ! Il était généreux, rond en affaires comme un vrai braconnier.

Ils passèrent le canal sur le pont de Malvaux. A travers les nuages en loques tombaient des coups de soleil moites. Et du soleil, des nuages, du sous-bois, sourdaient une oppression légère, une mollesse attiédie de printemps.

Ils se taisaient, entravés dans leur marche par les hautes touffes de breumaille. Elles montaient entre les ornières, envahissaient l'allée de leurs talles rudes et serrées ; à chaque pas que faisaient les deux hommes, un jaillissement de gouttes éparpillait des étincelles.

Dans une futaie de chênes, un coq faisan partit avec fracas, essora son vol en fusée vers les cimes. Et d'autres se levèrent, la queue longue et le bec bruyant. Ce fut encore, de l'autre côté d'une plaisse qui bouchait le chemin sur la gauche, un vol nombreux de perdrix rouges : par un trou de la haie, ils les virent filer bas sur le champ, les ailes en faucille, le corps rond comme une balle.

— Fameux pays ! dit Bonnenfant. Je comprends que tu y tiennes.

— Oh ! tu sais... dans toute la Sologne, ne manque pas de cantons qui valent ben celui-ci.

— Sois tranquille, assura de nouveau le traînier : pas plus tard que demain matin, j'aurai des lieues à mes semelles.

Malcourtois se rasséréna. Il souriait aux louanges du camarade, dénombrant les gueules noires des terriers qui foraient par centaines les talus sablonneux, s'extasiant sur les couverts de hauts genêts, poussant du pied les bogues de châtaignes vides qui bâillaient parmi les feuilles mortes :

— Tu dois en avoir des sacs pleins, dis donc ?

— Ça s'pourrait ben, reconnaissait Volat. Oui, le pays n'est point trop mauvais... Tu voiras ma cambuse : il y en a qui sont plus mal que moi.

Quand ils furent à Bouchebrand, il bouscula rondement la Flora, réclama des verres et du vin :

— Le bouché, tu entends ? J'ai une politesse à rendre.

— Belle femme ! admira Bonnenfant.

Elle riait de toutes ses dents, ondulait de l'échine à la façon d'une chatte que l'on caresse. Elle trinqua avec les deux hommes et vida bravement son verre. Il faisait tiède dans la salle de Bouchebrand, une tiédeur close qui vous pénétrait de partout, comme le contact d'un vieux vêtement. Il faisait sombre aussi, à cause du plafond bas aux solives fuligineuses. Bonnenfant s'était assis près d'une fenêtre, et regardait vaguement, dehors, un petit bâtiment isolé qui servait autrefois de fournil.

Quand ils eurent bu, Volat se mit lentement debout : on eût dit, à le voir, qu'il dépliait son grand corps pièce à pièce.

— Je vous laisse une minute, fit-il... Et toi, le frère, pas de blagues? Alle est chaude, je t'en préviens !

Ils rirent tous les trois, Volat sans bruit et montrant ses dents ternes, la Flora du haut de sa tête, Bonnenfant à ventre secoué. Par l'échelle intérieure du grenier la longue carcasse monta, s'engagea dans la trappe, la tête, le buste, les jambes qui n'en finissaient pas. Au-dessus d'eux, sur le plafond, Bonnenfant et Flora entendirent son traînement d'espadrilles.

Ils se taisaient, sans malaise : elle se rendait bien compte que les deux hommes avaient entre eux une affaire qui ne regardait pas les femmes ; depuis longtemps, elle était habituée à se mêler de ses propres affaires.

Et les jambes de Volat reparurent, le haut de sa personne emmaillé de partout, empaqueté d'un filet roulé qui lui chargeait amplement les bras, qui débordait à plis glissants ; pardessous, entre deux plis, on distinguait une main osseuse et pâle, aux doigts serrés sur une fiche de fer.

— Montre un peu, invita Bonnenfant.

Il s'était levé lui aussi, s'était approché de la porte.

— On n'y voit pas trop clair, dis donc, observa-t-il au bout d'un moment.

Il pesa sur le loquet, tranquillement, et poussa le vantail d'un geste naturel :

— Avance donc !

Volat fit deux pas sur le seuil, et fléchit tout à coup, au poids d'un corps tombé sur ses épaules. L'autre homme avait dû l'attendre debout contre le mur, à toucher le chambranle. Il n'eut même pas le temps d'une ruade : une étreinte vigoureuse lui paralysait les bras en arrière, et le filet déjà le ligotait. Bonnenfant, de sa poche, avait sorti le cabriolet : la morsure froide de l'acier meurtrit les poignets du braco.

— Tu peux lâcher, Piveteau.

Volat, devant les gars du saint Hubert, fut comme un putois pris au piège : pas de cris, c'était bien inutile, seulement un rictus laid à voir qu'il ne pouvait pas réprimer, des babines troussées sur les dents, et des yeux tournant en tous sens, parfois s'évadant vers les bois, éperdument plongés au libre espace, parfois dardés sur ses ennemis avec un brasillement de haine.

— Et voilà ! dit Bonnenfant.

Il poussa du pied la fiche de fer, que Malcourtois avait lâchée :

— C'était pour quoi faire, cette aiguille? Je ne t'avais parlé que du filet.

Toute la haine qui luisait aux yeux de Malcourtois s'exalta comme une flamme sur quoi l'on a versé de l'huile. Il fixa l'homme avec fureur :

— Tu as eu de la chance, Lépinglard... Je ne t'avais pas reconnu, à cause de ta barbe qui a poussé. Mais j'avais quand même une doutance : si l'autre ne m'avait pas agrafé tout de suite, probable que je t'aurais crevé le bide.

Le gros Lépinglard sourit à lèvres rentrées, content d'un ouvrage bien fait :

— En avant, marche ! commanda-t-il.

Quand ils passèrent devant le fournil, il sourit de nouveau pour demander à son camarade :

— Tu n'étais pas trop mal, là-dedans ?

Et comme la porte battait, grande ouverte, il ajouta :

— Referme-la, Piveteau. Faut laisser de l'ordre derrière soi.

III

Raboliot aussi fut content. Lui aussi avait bien travaillé : il s'était défendu. C'était sur sa parole, sur la foi en sa parole, que le comte avait lancé les saint Hubert aux trousses du grand Volat, que Lépinglard avait arrêté Volat. Et Raboliot, puisque le comte l'avait cru, puisque preuve était faite de sa sincérité, s'imaginait toucher enfin à des jours moins ténébreux, éclairés d'estime et d'indulgence.

Personne n'aimait Volat, personne ne le plaindrait. C'était une mauvaise gale, une vermine qui souillait le pays : bon débarras pour tout le monde ! L'air s'allégeait, s'épurait. Si des menaces continuaient de peser sur les épaules de Raboliot, des embûches de se tramer vaguement devant ses pas, du moins, ainsi plus libre de ses gestes, aviserait-il mieux à se garder contre elles, à les écarter une à une, selon l'inspiration et le moment. Tout à la joie de savoir Volat prisonnier, il ne se mettait point martel en tête : pourquoi se fatiguer à prévoir ? Avait-il deviné d'avance qu'il

« trahirait » Souris dans la plaine de Buzidan, que la petite lui apprendrait tant de choses? Les jours viendraient ; à chaque jour suffirait sa peine, ou sa chance.

Plusieurs fois il revit Souris, et ces rencontres ne lui furent point joyeuses. D'abord, il n'aimait guère la façon qu'elle avait de le surprendre, d'apparaître devant ses yeux juste au moment où il s'y attendait le moins. Il voyait bien qu'elle en usait ainsi par jeu, sans y chercher désormais malice ; n'empêche que l'habileté de la gamine l'inquiétait, et son astuce de sauvageonne. Lorsqu'il était près d'elle, la nuit, qu'il lui prenait la main en marchant, comme il eût pris celle de l'Edmond ou d'une Sylvie déjà grandette, il sentait bien qu'elle ne se livrait pas, qu'elle lui demeurait mystérieuse, étrangère. C'était un drôle de petit corps, capricieux, réticent ; elle avait une tête mince et pointue dont les yeux luisaient comme des choses, ne livraient rien des pensées qu'elle cachait.

Il suffisait que Raboliot l'interrogeât pour que l'envie la prît de se taire. Souventes fois, au rebours, elle lui assénait tout à trac des nouvelles qui le décourageaient :

— Ils sont toujours là, lui disait-elle. Ils se baugent au Bois-Sabot : c'est sûr qu'ils voulent encore prendre quelqu'un.

Et une autre nuit :

— J'ai vu le gendarme, le roussiau. Il causait à M. Tancogne, sur la route. M. Tancogne n'avait pas l'air trop content. Il faisait comme ça avec son poing, en craillant : « Il me la paiera, celle-là ! Pour sûr qu'il me la paiera ! » Le gendarme, lui, il riait, et il répétait : « Pour sûr ! »

De nuit en nuit, de nouvelle en nouvelle, Raboliot finissait par comprendre qu'il s'était réjoui trop vite. Volat coffré, ça n'en faisait jamais qu'un de moins : il en restait d'assez nombreux pour le barrer de tous côtés. Et ceux-là, il s'en rendait compte peu à peu, bien loin de renoncer s'acharneraient de plus court sur sa piste, ne lâcheraient pas le pied qu'ils ne l'eussent d'abord forcé.

Le comte? Raboliot n'était à ses yeux qu'une engeance de même race que Volat, qu'un braco vendant un braco, par jalousie et calcul de braco. Tancogne? Celui-là, sûrement, ne le portait pas dans son cœur. A cause de Raboliot, le soupçon avait frôlé sa tête ; il avait vu emmener Malcourtois, et peut-être senti, contre sa propre peau, le froid de la chaînette qui liait les mains du prisonnier ; il n'était pas homme à l'oublier de si tôt. Et il y avait Tournefier, que la crainte de perdre sa place tourmentait, qui n'en dormait plus la nuit et multipliait ses tournées. Combien de fois Raboliot l'avait-il aperçu, le vieux

Pillon sur ses talons ! Souvent aussi, vers la Sauvagère, il avait entendu les abois que lançait Dévorant en bondissant hors du chenil : alors il ne demandait pas son reste, et filait.

Et Souris lui parlait de Bourrel qu'elle revoyait presque chaque jour, tantôt sur la route de l'Aubette, tantôt sur celle du Bois-Sabot. Les nuits n'étaient pas rares non plus où Raboliot, de chez lui, apercevait briller dans les ténèbres la lanterne d'une bicyclette : cette lumière approchait, ralentissait peu à peu son glissement, et doucement balayait la façade de la maison. Dans son halo clair-obscur, Raboliot distinguait la silhouette du gendarme, la visière brillante de son képi, et devinait son détour de tête, au passage. Celui-là, nom d'un diable, il avait de la suite dans les idées ! Qu'est-ce donc qui le poussait ainsi, qui l'obligeait à ne point démordre? C'était bachique [1], une obstination de cette force, ça le tenait comme une maladie.

Raboliot avait essayé de travailler ailleurs. Il était descendu vers les terres des Communaux, entre Hardillat et le canal. Mais c'était là contrée de pauvre chasse, depuis longtemps rasée par le fretin des braconniers : au premier balancement de lune qui venait en suivant

1. Bizarre, anormal.

l'ouverture, les lanternes se promenaient là tout à l'aise. Les quelques compagnies de perdrix, les trois ou quatre capucins qui boultinaient par les éteules étaient tôt fusillés et cuits ; s'il y restait quelques lapins, c'était le lot des fermiers et des chiens. Pas de bois, pas de couvert, allez donc chasser là-dedans ! Et tout près, franchie la route de l'Aubette, c'était la butte de Buzidan avec l'étang pâle à ses pieds, et plus loin la vallée secrète du Bouchebrand, les pineraies, les genêtières ; et le ruisseau coulait au travers jusqu'au bois de la Sauvagère, jusqu'aux friches trempées par le Beuvron. Voilà un pays de belle chasse, broussailleux, boisé, fourré, avec du « sale » et de la plaine, avec du sec et du mouillé, peuplé de bêtes dessus et dessous ! Un pays frémissant de bruits d'ailes, de galopades furtives, mystérieux et terrible avec ses tentations vivantes... Raboliot n'avait qu'à suivre ses jambes : elles le ramenaient d'elles-mêmes au creux de la vallée, et il rôdait à leur caprice, bien seul maintenant, sans le trépignis tout menu que faisaient près de lui, naguère, les pattes de la petite noire, avec son fusil froid qui lui ballottait à l'épaule.

Une nuit qu'il errait ainsi par les fourrés de Bouchebrand, il vit Souris sortir de la masure et s'en venir de son côté. Il pouvait être dix ou onze heures. Raboliot se leva, froissant exprès quelques broussailles : la gamine l'eut bientôt rejoint.

— Tu me cherchais ?

— Justement.

Elle semblait agitée, toute vibrante d'une excitation inaccoutumée.

— J'ai quelque chose à vous montrer, dit-elle.

Il la suivit en lisière d'une allée. Elle courait presque, le tirant par la main ; parfois elle chuchotait, sur un ton d'impatience joyeuse :

— Vite ! Vite ! C'est juste le bon moment.

Elle avait pris l'allée qui de Bouchebrand gagne le carrefour de la Patte d'Oie. Celle de Malvaux, celle de Buzidan l'y rejoignent, et toutes les trois confluent en une seule grande allée qui grimpe vers le Bois-Sabot. Souris monta, tirant toujours Raboliot derrière elle. Quand ils furent près du logis des maîtres, elle s'arrêta le long d'un buisson de fusains. Une dizaine de mètres les séparaient des bâtiments, une aire parsemée de gravier où dormait une clarté cendreuse. La maison apparaissait massive, un bloc énorme et régulier, coiffé d'un toit surélevé que jalonnaient des fenêtres de mansardes. A son flanc, des rais de lumière jaune passaient entre les lames de hautes persiennes, rabattues sur une porte-fenêtre. On distinguait derrière un bourdonnement de voix.

— Vous n'avez pas peur? demanda Souris. Elle frémissait toute, et Raboliot voyait que c'était de plaisir.

— Peur? dit-il.

— Vous vindriez ben jusque-là?

Son doigt montrait les barres lumineuses qui rayaient d'or le gravier d'un bleu gris.

— Et pourquoi que je n'y vindrais pas?

Leurs deux ombres se détachèrent des fusains noirs, filèrent côte à côte à travers l'espace nu, et se collèrent le long du mur. De nouveau, Souris saisit la main du braconnier. Il ne l'entendait pas respirer ; mais tandis qu'ils regardaient ensemble à travers les lames des persiennes, elle le touchait si étroitement qu'il sentait les battements de son cœur.

Alors oui? C'était ça qu'elle voulait lui faire voir? Tous ces hommes autour d'une même table, tous ces visages ennemis assemblés dans la clarté d'une lampe? La pièce leur apparaissait vaste ; ils discernaient vaguement, en des profondeurs d'ombre, des luisants de boiseries foncées, des files de livres sur des rayons. Mais toute la lumière de la lampe se concentrait sur les visages, les exaltait hors des ténèbres avec une violence émouvante : il n'y avait que ces sept visages, leurs yeux qui étincelaient, comme mouillés d'une mince lame d'eau brillante, l'intensité gênante de leurs regards, et ces lèvres flexibles qu'on voyait remuer en parlant, qu'on voyait former des paroles.

Ce fut Raboliot cette fois qui saisit le poignet de Souris, et l'entraîna rudement vers l'abri noir des fusains. Il avait envie de la battre. Il se rendait bien compte que l'étreinte de ses doigts était brutale sur le bras frêle ; mais il serrait quand même, et davantage encore à mesure qu'il sentait lui faire mal. Il eût mieux respiré tout à coup, si la drôline avait gémi.

Elle souriait : elle était dure. C'était à croire que cette brutalité de l'homme ne faisait qu'aviver son plaisir. Raboliot la lâcha, écœuré d'elle et de lui-même. Alors elle dit :

— Vous avez vu ?

Il ne répondit pas. Elle ajouta, comme si elle l'eût interrogé :

— C'est à vous qu'ils en ont, je pense ?

Le gars baissa la tête, une seconde, mais la releva d'une secousse. Il prononça, d'une voix neutre et traînarde :

— Possiblement... Je te remercie de m'avoir montré ça.

Dès la Patte d'Oie il quitta la gamine, prit l'allée de Malvaux qui coupait plus court vers la route : il allait rentrer chez lui. Il avait besoin d'être chez lui, de regarder d'autres visages pour chasser jusqu'au souvenir de ceux qui lui étaient apparus. Il rejoignit la route et se sauva tout droit, en murmurant par intervalles :

— Faut-il ! Faut-il !

Cette scène qu'il venait de surprendre l'avait heurté d'une impression profonde. Il n'avait rien perçu des paroles que prononçaient les hommes, dans la lumière : un bourdonnement confus où le son des voix se brouillait. Mais le cercle de leurs visages, sous la lampe, était assez parlant, et trop ; c'était pire que des phrases de menace, pire que des injures de colère.

Raboliot comprenait qu'il s'était lourdement trompé. Naguère encore, il unissait le grand Volat au groupe de ses adversaires : par l'entremise de Tancogne, Volat tenait au clan des riches, des possesseurs du sol et de la chasse que soutiennent les gendarmes, les gardes et les saint Hubert. Pour l'avoir écarté de sa route, arraché aux mains de Tancogne, Raboliot avait eu l'illusion que ce bloc d'ennemis s'écroulerait. Il ne connaissait pas le vieux, et cette habileté qu'il avait à tourner sa veste à propos, à reprendre équilibre quand on l'avait cru par terre.

Maintenant qu'il avait vu, il ne pouvait même pas imaginer, au milieu de ces hommes assemblés, la présence de Malcourtois. Ça n'était pas comme le père Tancogne, flatteur du maître, mi-pésan, mi-bourgeois, et toujours prêt à basculer du bon côté. Tous les visages, sous la lampe, se rapprochaient naturellement, s'unissaient d'un lien invisible, aussi serré que les maillons d'une chaîne. Et Raboliot, debout derrière les persiennes closes, se sentait exclu roidement, rejeté dans la nuit mauvaise, la même nuit ou Malcourtois s'était perdu. Le cœur brouillé, les épaules secouées d'une pauvre révolte, il lui semblait rejoindre Malcourtois, pressentir entre eux deux il ne savait quelle solidarité misérable. Cela ne venait pas de lui-même : tout son être se soulevait là-contre. Cela venait de ces hommes assemblés, de leurs visages unis dans la lumière.

Il y avait le comte de Remilleret, et près de lui Tancogne. Il y avait Lépinglard et Piveteau, le premier lourd de chair et tranquille, l'autre nerveux et sec, noir de cheveux, le teint basané comme un romanichel. Il y avait Firmin Tournefier, un ami par le sang qui pourtant comprenait les choses, mais que le souci de son pain avait fatalement poussé là, et qui était assis parmi les autres. Et puis le brigadier Dagouret, attentif et de bleu vêtu ; et près de lui l'autre habillé de bleu, ce visage entre les visages, avec ses durs méplats où s'exaltait violemment la lumière, ses creux d'ombre où s'embusquaient les yeux pâles, avec ses moustaches en crocs qui brasillaient comme des flammèches. Il était là. Il se tenait presque immobile. Ses regards, un moment, s'étaient arrêtés sur la porte-fenêtre, fixés au hasard et sans voir, mais Raboliot s'en était senti traversé.

— Faut-il ! Faut-il !

Il se hâtait, chassé, vers sa maison. Lorsqu'il passa le pont sur le canal, il s'appuya des reins au garde-fou, et plusieurs fois, à haute voix, il prononça ce nom : « Bourrel ». Il écoutait les syllabes retentir. Il les sortait de lui, dans un besoin déjà éprouvé de susciter en face de soi, comme une réalité tangible, la personne du gendarme, son être... « Bourrel » : il interrogeait ces syllabes à travers le souvenir d'un visage. Qui était-ce, voyons, Bourrel ? Pourquoi lui, et tel qu'il était, avec ces traits-là justement, si froids, si secs, si volontaires ? Et pourquoi cette ténacité méchante, cette dureté de caillou lancé roide ?

Il s'efforçait péniblement de comprendre. Si ardente était sa quête, si tendue, qu'il pressentit la vérité, qu'il réussit à comprendre en effet. Ce fut une songerie fruste, maladroite, mais par instants divinatrice : « Peut-être, se dit-il, que tout vient de la première nuit. C'est parce que je lui ai filé dans les jambes, juste au moment où il croyait me tenir... Il y a eu ce coup à toute volée, dans sa rage à me voir détaler... Et plus tard, pendant qu'il questionnait Trochut, il m'a revu dans sa pensée qui m'ensauvais, et c'est ça qui l'a fait lancer son calepin sur la table et fermer ses poings vers Trochut... Arriéze ! Comme il craillait ! « Qui est-ce ? Je veux savoir ! Tu parleras, cochon, ou je te casse la gueule ! » Toute sa carcasse tremblait, d'une colère si terrible qu'elle faisait peur à regarder. Voilà : c'était un homme qui ne pouvait pas avoir tort, qui ne pouvait pas céder. Toute sa dure caboche l'affirmait, tout son corps vêtu de drap bleu, sanglé de courroies et d'armes. Il disait encore, chez Trochut : « Je suis gendarme, tu entends ! J'ai les tribunaux derrière moi, peut-être ; avec la prison à la clef... la prison, tu entends, crapule ! » Il sentait tout ça derrière lui, les juges, la Loi, toute cette force qui le soutenait et le commandait à la fois. Et les autres étaient des crapules... « Je suis gendarme ! » De quelle voix il avait crié ça, avec quel redressement du corps, quel coup de menton en avant, quelle crispation de ses deux poings !... Cette nuit encore, au Bois-Sabot, il songeait qu'il était gendarme, il se sentait gendarme dans tout lui, des semelles au faîte du képi : ça éclatait sur sa figure, ça brillait étrangement dans ses yeux, des yeux qui ressemblaient, blasphème, à ceux d'un curé à l'autel... »

Raboliot mesura sa faiblesse. Il s'accouda au garde-fou et pencha la tête vers l'eau. Elle stagnait, immobile, dans la nuit terne. Les reflets pâles des bouleaux y dormaient d'un sommeil figé. Une mince tache de clarté frileuse venait mourir à sa surface, tombée de quelque étoile par la déchirure d'un nuage. Raboliot regardait cette petite lueur souffrante, et il pensait : « Qu'est-ce que je lui ai fait, pourtant? Je ne lui ai rien fait que m'ensauver... Mon pauvre gars, c'est justement : je ne pouvais rien lui faire de pire... Je me suis ensauvé de chez Trochut. J'ai refusé d'aller au tribunal, j'ai rejeté ma condamnation. Et quand il est venu pour m'arrêter, je me suis ensauvé pareil. Et depuis, qu'est-ce que j'ai fait? Il m'a guetté, le jour et la nuit, et je lui ai filé dans les mains. Il a commandé le maire, et le maire lui a obéi : mais il ne m'a pas eu quand même. Et je vois bien maintenant qu'il doit être comme fou après moi. C'est un coup de folie, parce que je m'échappais encore, qui l'a poussé à tirer sur la noire, à la tuer : un homme tel que les autres n'aurait jamais tiré... »

Raboliot releva la tête, aspira l'air à fond de poitrine. « Et moi ? Et moi ? Qu'est-ce que je vas faire à cette heure? » Sa songerie le tenait si fort qu'il en murmura tout haut :

— Va-t-il donc falloir que j'y passe ?

Il secoua rudement le front, il se cabra contre ces mots qu'il entendait.

— Je ne veux pas !

C'était ainsi : lui non plus ne pouvait pas céder. En un éclair, des images violentes se pressèrent, lui firent bouillonner tout le sang. Quoi donc ? Il irait tendre ses poignets à Bourrel ? Il verrait son sourire de triomphe ? Et Bourrel l'emmènerait comme un chien, l'enfermerait dans « sa » prison ? Une angoisse lui serra la poitrine, si forte qu'il en était haletant. Il eut un sursaut animal, et gémit.

Et puis il se mit à courir, avec le froid du vent à ses joues. L'image de Bourrel s'éloignait, la prison était derrière ses pas. Il ralentit sa course, s'arrêta de nouveau. Le vent continuait de souffler, large et puissant. Il y avait au ciel de grands nuages libres qui voyageaient. Et le vent, à travers la campagne, tournait autour des pineraies noires, les emplissait d'une longue rumeur, et vaste, qui s'élevait jusqu'au zénith. Cela vous soulevait et vous engourdissait ensemble ; cela berçait d'une mélancolie rude, parlait de vie lente et sauvage à travers des nuits nombreuses, pareilles en profondeur sous le vol changeant des nuées. Raboliot sentit sa propre vie, une force qui venait de très loin, à travers des années et des années du temps. Il murmura : « Voilà, je m'ensauverai encore, et je recommencerai encore... Il y a toujours eu place pour moi, dans ces terres. Et je pense bien, miséricorde, qu'il y en aura toujours. »

IV

Il vient pourtant une heure où Sandrine, dans la maison, s'assied les mains pendantes et laisse fléchir sa nuque trop lasse. Elle ne dit rien, mais on voit bien à quoi elle pense, à d'humbles et redoutables choses, à la maie qui est vide, au fourneau qui est froid, aux drôles qui vont rentrer de l'école.

On ne croit pas que c'est possible, et pourtant, quoi de plus simple? Cette heure-là suivait sa route vers la maison, et rien ne pouvait l'arrêter. Voici qu'elle est entrée, qu'elle est là, entre Sandrine et Raboliot.

Il est debout près d'elle, et la regarde en se taisant comme elle. Alors elle lève les yeux et fait vers lui un pauvre sourire. Elle se confie à lui, elle met entre les mains de l'homme sa détresse et ses inquiétudes, ses pensées lourdes où reviennent passer les trois mêmes petites figures, déjà pâlottes et comme défleuries. Elle revoit dans la maie — tant de fois elle leva le couvercle ! — un quartier de fromage sec, sa pulpe jaune sous la croûte de cendres, et ce qui reste d'un pain de huit livres, pas trop gros. Il y a, dans le cellier, quelques litres de boëte [1] dans le fond d'un baril, un tas de raves, un peu de légumes secs. Et il y a encore la chèvre dans son toit. C'est tout, c'est vraiment tout... Alors elle lève les yeux et sourit humblement. Elle a des yeux bleus et mouillés, avec des paupières meurtries. Son visage souffreteux est comme illuminé de prière, de foi en l'homme qui est près d'elle : il peut tant de choses, Raboliot ! Ses bras sont forts, son cœur courageux, sa tête subtile. Et Sandrine sourit d'espoir triste. A travers la buée d'eau qui couvre ses regards, une petite flamme brille en tremblant. Il voit aux deux coins de sa bouche un frémissement puéril, qui est de tendresse confiante, et peut-être, déjà, de larmes.

Raboliot la regarde toujours. Il ne peut pas s'en empêcher. Il voit la pulpe fine des lèvres, et leur roseur sensible où se croisent des sillons délicats. Il voit, au bord du cou, une artère qui bat secrètement : et c'est la vie même de Sandrine qui palpite devant ses yeux ; chaque pulsation le heurte, retentit partout dans son être. Il s'abîme, perdu, dans sa contemplation. Des ondes tièdes tournent autour de lui, s'élargissent et renaissent sans trêve ; c'est

1. Boisson.

comme un vertige grandissant, qui fait peine et plaisir à la fois.

Sandrine... Voilà six ans passés qu'elle est venue dans la maison. La vieille Montaine lui a laissé la place. Les meubles sont devenus leurs meubles, la maie de merisier, l'horloge au cadran fleuri, et le lit à quenouilles, le lit de Raboliot et de Sandrine. Tous ces jours ont coulé, qui les ont mêlés l'un à l'autre. Sous le corsage de coton gris, sous la jupe noire, le corps de Sandrine est là, sa peau qui souvent fut si douce contre les mains calleuses de l'homme, et dans ces mêmes mains le poids tiède des seins de Sandrine. Elle a ouvert ses jambes pour l'accueillir, elle l'a reçu dans son être creusé : il semble à Raboliot qu'il sente contre ses hanches appuyer les cuisses de Sandrine, à ses épaules se crisper ses doigts. Ce n'était pas assez de l'accueillir, elle le tirait vers elle, le retenait pâmé contre elle... Il la revoit aussi, sur le grand lit, et seule. Ses cheveux sont collés à ses tempes mouillées de sueur. La bouche ouverte, elle crie ; la couverture s'affaisse en rond entre ses genoux levés. La Bailleul, l'accoucheuse, est penchée vers le lit. Et tout à coup, dans la maison, il y a cette voix inconnue, cette plainte grêle et déjà vigoureuse. « Il a bonne voix, dit la mère Bailleul. C'est un beau gars. » Ce fut ainsi l'Edmond d'abord, et puis le Léonard, et puis, la dernière, Sylvie : des enfants drus, de la belle graine de Solognots, qui s'élevaient sans maladies, et bien tenus, comme savait faire Sandrine. Elle les avait portés sans plainte, mis au monde en une acceptation joyeuse. Les larmes de Sandrine, autre chose les avait fait couler...

— Ma pauvre femme ! murmure Raboliot.

Il s'effare presque de ce qui lui arrive. Il a envie, soudain, de se laisser glisser à terre, d'entourer de ses bras les jambes de Sandrine, et de poser la tête au creux de ses genoux. Il lui dirait : « Ça n'est pas de ma faute. Que cette mauvaise passe soit franchie, et tu verras comme je gagnerai bien notre vie ! Il n'y en a pas beaucoup, tu sais bien, pour descendre comme moi les sapins et les chênes, pour enfourner les gerbes dans la machine. Est-ce que je bois ? Est-ce que je t'ai jamais battue ?... Je travaillerais de si bon cœur, si je pouvais me montrer au soleil ! Et je tâcherai... tu verras, Sandrine... je tâcherai de ne plus *le* faire. »

Il lui dirait aussi toute la tendresse qui l'étourdit, toute cette chaleur mouillée qui lui monte à la gorge, qui brouille devant ses yeux le visage de Sandrine... Arriéze ! Est-ce qu'il pourrait le dire ? Ce qui se passe en lui est si trouble et si fort, si surprenant qu'il s'en inquiète, qu'il songe soudain avec malaise :

« Est-ce que je suis malade? Me voilà bien peu fort, pour un homme ! » Et il s'écarte, il se met à marcher par la salle, à grands pas durs qui sonnent sur le carreau.

— Ah! bon Dieu, qu'est-ce que je vas faire?

C'est à lui-même qu'il le demande. Encore une fois, tout ce passé ne lui porte point de conseil. Il en revient avec une grande lourdeur à l'âme, une révolte contre le sort, et peut-être, aujourd'hui, un remords.

Sandrine n'a pas bougé. Mais elle dit, résolue, avec une force qui ne lui est point coutumière :

— Va voir popa, Raboliot... Et ce qu'il te dira, fais-le.

Il veut bien, désemparé. Depuis longtemps il n'a revu Touraille : il lui apparaît, à cette heure, comme un génie parmi le peuple des oiseaux, comme un sage chargé d'années, vénérable de tant de science peu à peu amassée dans sa tête. Touraille saura. Ce qu'il faut faire, Touraille le lui dira. Il est sûr que Sandrine a raison.

Il va partir, quand elle se lève. Elle se tient devant lui et le regarde dans les yeux. Cela le gêne : il voudrait détourner la tête, mais il soutient le regard de Sandrine, et tâche de faire ses yeux limpides jusqu'au fond.

— C'est tout ce que tu me dis, Raboliot? demande-t-elle.

Il se tait, et elle continue :

— C'est me mettre bien bas, le sais-tu? Pas une parole pour moi, la bouche fermée, les yeux fermés sur ton secret, plus en méfiance que pour un étranger... Faute de parler, pourtant, on meurt sans confession.

— Et que te dire? s'écrie violemment Raboliot. Que je me mange les sangs à me voir barré de partout? Qu'ils sont une bande après ma peau, plus acharnés que des chiens sur ma trace? Faut-il le dire pour te l'apprendre? Et ne connais-tu pas mon mal autant que je connais le tien? Est-ce donc toi qui les arrêteras si je m'y use toutes les heures que Dieu fait, sans réussir à rien qu'à m'user davantage?

— Et qu'est-ce qui est au bout de ce chemin? dit Sandrine. Ta perdition, la mienne, et les petits à l'Assistance... Tu as tiré de mauvais vin, Raboliot : dépêche-toi de le boire avant qu'il n'ait trop coulé.

Il fronce ses sourcils rapprochés. Il la regarde plus aigu :

— Ah! qu'est-ce que j'ai compris, Sandrine?

Sous la voix dure, elle vacille une seconde. Mais elle, qui ne bouge pas de la maison, aperçoit mieux que lui le noir des journées prochaines. La terreur qu'elle en a ranime son courage. Elle ose dire, sans baisser les yeux :

— Il faut te livrer, Raboliot.

C'est bien ce qu'il avait compris. S'il n'y

avait déjà songé lui-même, peut-être qu'il ne sentirait pas si vite, entre Sandrine et lui, cette rugueuse épaisseur de pierres, comme d'un mur tout à coup dressé. Il n'a pas fait un geste, mais il est rentré en lui-même, il s'est « recoquillé » comme un hérisson dans ses piques.

— Chaque minute qui passe, poursuit cependant Sandrine, ne fait qu'envenimer le mal. C'est comme une épine noire dont le couton est resté sous la peau. Arrache l'épine d'un coup, Raboliot, puisque tu vois où elle te blesse. Tu sais bien que le mal va gagner... Si tu n'es pas courageux pour toi-même, tâche au moins de l'être pour nous.

Jamais Sandrine n'a tant parlé. Elle parle encore lorsque la porte s'ouvre, devant les deux garçons qui rentrent de l'école. Ils ont tous deux la tête ronde et forte, sous d'étroits bérets bleus qui collent aux crânes comme des calottes d'enfants de chœur. L'Edmond est plus trapu, de jambes plus courtes avec des mollets larges ; le Léonard est aussi grand que lui, plus fin, plus noir, avec des yeux plus vifs. Sandrine, très simplement, va vers la maie et taille ce qui reste du pain : des tranches minces, qu'elle coupe exprès très larges pour qu'elles paraissent plus « conséquentes ».

— Une grigne de fromage, dit-elle, chacun la sienne.

Elle se redresse, lente, hors de la maie où s'inclinait son buste. Entre ses doigts elle tient deux morceaux de fromage, deux petites parts triangulaires qu'elle tend à chacun des enfants.

— Et toi, Raboliot, en veux-tu ?

Au bout le bout, n'est-ce pas ? Au point où on est arrivés ... Raboliot, de nouveau, sent comme une boule se gonfler dans sa gorge. Sur la chaise ou était Sandrine, Edmond et Léonard ont posé leurs cartables, deux sacs de faux cuir jaune, tachés d'encre, et qui laissent voir le carton aux coutures ; les courroies lâches pendent le long des pieds de la chaise... Sandrine va et vient par la salle. Les garçons mangent sans tapage. Maintenant qu'ils font quatre heures, elle va lever Sylvie. Elle soulève dans ses bras la drôline endormie, s'assied, dégrafe son corsage. Appuyant à deux doigts de chaque côté de l'aréole, elle murmure, on croirait pour elle-même :

— Heureusement que j'ai du lait encore... Mais j'ai grand'peur, après si longtemps, qu'il ne vienne bientôt à taisir [1].

Raboliot est sorti, sans faire de bruit. Sandrine ne s'est pas retournée, mais il est sûr qu'elle l'a vu sortir. A-t-elle compris qu'il allait chez Touraille ?

1. Tarir.

Il y est allé par les jardins, le long des mêmes haies que naguère, en contournant le bourg. A chaque clôture de grillage, il a reconnu, atténué, l'affaissement qui marquait la trace de ses passées anciennes.

Il a retrouvé Touraille au milieu de ses bêtes empaillées. Et Touraille, tout de suite, lui a dit :

— Un indiot, voilà ce que tu es... Quand tu pouvais payer l'amende, tu as refusé de la payer. Pourquoi ?.... Et maintenant, où en es-tu ? Parlon peu, parlon bien : quelques semaines à tirer en prison, pas grand'chose. Fais-les, mon gars, et le plus vite possible, c'est un bon conseil que je te donne. Faut en sortir, je ne vois pas d'autre moyen. On s'arrangera toujours d'ici que tu rarrives. Je suis même disposé, tu m'écoutes ? à prêter cent francs à Sandrine. Cent francs, garçon, c'est dire que j'ai confiance en toi : je n'aurais pas donné ma fille à un feignant.

— Vous êtes d'accord ensemble ? a demandé Raboliot.

Il a baissé un peu le front, comme un bélier têtu, qui se butte. Tantôt faisant oui du menton, tantôt secouant la tête pour nier, il n'a plus parlé que par signes.

— C'est Bourrel qui t'ostine ? disait Touraille. Oui ? Eh ben alors, va-t'en sur une brigade voisine ; renseigne-toi : peut-être que les gendarmes d'Argent ne sont point de si mauvais gars. Pour conduire un braco en prison, un gendarme vaut un gendarme. Va voir les ceusses d'Argent, et tout est bien. Comme ça, Bourrel ne pourra pas se vanter de t'avoir pris... Il y a autre chose? Alors qu'est-ce que c'est? Je me demande quel glorieux tu es, mais tu as de drôles de manières... et pas beaucoup de cœur, je pense. Il n'en manque point qui sont passés par où tu passes, et qui ne rougissaient point d'y passer. Un coup que tes enfants seront à l'Assistance... Non encore? C'est pourtant ce qui les attend. Et si ça leur arrive, c'est que leur père l'aura bien voulu... Tu peux secouer la tête, garçon, ma parole est ma parole. Je t'aiderai si tu es raisonnable, mais si tu deviens fou, bernique !

— Allons, au revoir, dit enfin Raboliot.

Il est parti, plus désespéré que jamais. Le soir tombait ; on pouvait voir déjà, au bourg, des lumières derrière des croisées. Son cœur, dans sa poitrine, pesait comme un caillou.

Il est descendu vers la Sauldre, et s'est arrêté au passage devant une maison comme les autres, avec une façade de briques rouges très nette. A cette maison aussi, une lumière brillait derrière une vitre. Raboliot s'est approché doucement, et il a regardé au travers de la vitre. C'était une chambre étroite, où les objets semblaient d'une propreté glaciale. Rien qu'une chambre, avec une commode contre le mur de gauche, un fourneau de fonte au milieu, un lit contre le mur de droite. Des rideaux de lingerie blanche tendaient autour du lit de longs plis raides et purs. Sur la commode, une petite lampe à essence se reflétait dans le bois bien ciré. Il n'y avait pas de feu dans le fourneau.

La vieille Montaine était assise sur une chaise basse, et s'appuyait du dos contre le lit. Ses joues pâles s'affaissaient en tirant les coins de sa bouche. Elle semblait dormir, les yeux clos, mais on voyait qu'elle ne dormait pas. Elle tenait entre ses mains les grains d'un chapelet de bois noir, et ses doigts les poussaient un à un. Sur la cloison qui faisait face à la fenêtre, Raboliot distinguait quelques photographies accrochées, un crucifix avec un rameau de buis, et une image qui représentait la sainte de la Sologne, Montaine la bergère rapportant de la source, dans un panier d'osier, de l'eau qui ne s'écoulait pas. La vieille femme était là toute seule. Un bonnet rond, immaculé, serrait ses cheveux en arrière. Elle avait mis sur ses épaules un fichu de grosse laine noire. Et ses doigts continuaient, d'un mouvement machinal et doux, de pousser les grains du chapelet.

Quelques larmes, arides et rares, brûlèrent les yeux de Raboliot. Il s'en alla, n'ayant osé entrer.

V

Ce même soir, entre l'Aubette et sa maison, il rencontra Sarcelotte sur la route.

On était en période de vieille lune. La nuit était si sombre qu'à peine pouvait-on distinguer, entre les talus noirs comme poix, la chaussée qui plongeait aux ténèbres. Raboliot reconnut Sarcelotte à son parler; il fut heureux d'entendre, après longtemps, son nasillement cordial et gai.

— Il y a une pièce que je t'attends, dit Sarcelotte. On peut causer ?

Rien qu'à l'accent du camarade Raboliot devina tout de suite. Un tressaillement le parcourut, le chauffa de la nuque aux talons. Il demanda, un peu anxieux :

— Tu n'es pas allé chez moi, toujours ?

— Penses-tu ! dit Sarcelotte. Je me doutais que ta bourgeoise n'aurait guère de plaisir à me voir.

— C'est donc un coup ? fit Raboliot.

— Oui.

— Au falot ?

— Justement.

— Là voù?

— A la Sauvagère.

Raboliot frémissait tout entier. Une tentation le secouait, formidable, tourbillonnait sur lui, aussi réelle qu'une hargne de vent. Il entendit sa propre voix ainsi qu'une voix étrangère :

— T'es donc tout seul?

— Non pas : Berlaisier doit en être.

— Eh ben alors?... murmura Raboliot.

Il avait fait un pas en arrière, pour s'écarter de Sarcelotte, un peu, bien plutôt pour sortir du tourbillon qui l'enveloppait. Il répéta :

— Eh ben alors?... C'est assez de vous deux, mon gars.

Mais Sarcelotte, avec chaleur :

— Je te veux avec nous, Raboliot. Et Berlaisier itou, il te veut. On a pensé, tu comprends... le coup est beau : c'est peut-être six cents francs à gagner... ça nous ferait deux cents chacun... Tout le monde a besoin de deux cents francs... Et puis, ajouta-t-il très vite, avec une sorte de pudeur, et puis la vérité, c'est que tu tires comme pas un.

— Tu es un brave, dit Raboliot, ému. Et Berlaisier aussi est un brave... Mais tu sais où j'en suis, à cette heure? S'il y a un coin mauvais pour moi, c'est celui-là.

— Les saint Hubert? dit Sarcelotte.

Il s'approcha à toucher Raboliot, lui posa sa main sur l'épaule :

— Ils sont pertis, confia-t-il, pertis ce soir, au traindevay de six heures. Je les ai vus monter dans le wagon : c'est te dire.

Et il annonça les nouvelles : « Depuis deux nuits, les lanternes s'allumaient partout. On avait appelé Lépinglard sur Vannes, au diable vert, dans un château en limite du Val de Loire. Le comte aurait voulu le garder encore, avec Piveteau ; mais il y avait trop longtemps qu'ils se cachaient au Bois-Sabot, sans bouger. Avait bien fallu qu'ils s'en aillent... »

— Et tu les as vus ? insista Raboliot.

— Comme je te vois.

Il hésitait encore, par volonté d'être hésitant. C'était une grâce qu'il s'accordait, un délai, une excuse à tout événement. Mais dès que Sarcelotte avait parlé du coup à faire, du falot, de la Sauvagère, il avait bien senti comment le débat finirait. Il demanda pourtant :

— Et Bourrel ?

— Il ne peut pas être partout, dit Sarcelotte. Sur la commune aussi, les chandelles s'allument à tous les coins du ciel. On en a vu, ces nuits, sur Tremblevif, sur Chantefin, sur les Communaux. En allant vers Lamotte, ça brillait tout le long de la route : aux Gimonets, aux Bouffards, plus loin encore. Les fusils pétaient, des moments, à se croire revenus en guerre !... Alors les gendarmes, tu comprends, ils ne savent plus où donner de la tête. Ils usent leurs nuits à pédaler : quand ils arrivent, c'est éteindu, mais ça s'est rallumé ailleurs.

— Et les gardes ? dit encore Raboliot.

Il voulait ne rien oublier. Il épuisait contre lui-même, une à une, les raisons qu'il avait à tout le moins de se combattre, s'il ne désirait pas se vaincre.

— Les gardes ? disait Sarcelotte. Ben malins s'ils nous prennent, un contre un ! C'est moi qui tiendra la lanterne : je sais leur coller dans les yeux, les « évanouir » au passage d'un fossé, juste au meilleur moment pour qu'ils se foutent par terre. Le temps qu'ils se relèvent, on est loin. Et s'ils rejoignent, hardi ! on recommence.

Le ton de Sarcelotte montait ; il nasillait comme un appelant. Et Raboliot riait, à cause de l'enthousiasme du camarade, de la joie contagieuse que prodiguait sa chanson :

— Il y en a, mon gars ! Il y en a, que ça en est pourri ! Jamais je n'ai vu ça, et pourtant j'en ai vu !

— Je le sais ben, dit Raboliot.

Il était empoigné tout entier. Il cédait. Il y avait trop longtemps qu'il se faisait violence, qu'il vivait en dehors de sa vie. Et maintenant, il cédait, il s'abîmait là-dedans à plein corps. Les souvenirs affluaient par longues vagues : toutes les odeurs des bois, l'âcreté du terreau mouillé sur quoi fermentent les feuilles mortes, les effluves légères des résines, l'arome farineux d'un champignon écrasé en passant ; tous les murmures, tous les froissements, toutes les envolées dans les branches, les fracas d'ailes traversant les futaies, les essors au ras des sillons ; et tous les cris des crépuscules, la crécelle rouillée des coqs faisans, les rappels croisés des perdrix, les piaulements courts des tourteplates [1], et déjà, dans la nuit commençante, ce grincement qui approche et passe à frôler votre tête, avec le vol de la première chevêche en chasse.

Tous les mots que disait Sarcelotte étaient chargés d'une puissance merveilleuse, d'une force inouïe d'évocation. Sarcelotte disait : « les lapins ». Et aussitôt, par les bois de la Sauvagère, par les friches du Beuvron, par les fourrés de Bouchebrand, des centaines de lapins pullulaient. Raboliot les voyait bondir par-dessus les touffes de breumaille, s'y couler à pattes tricotantes, montrer à l'orée des terriers, le temps à peine d'un clin d'œil, une touffe de queue blanche qui s'enfonçait dans le trou noir. Des galopades, sous la terre

1. Engoulevents.

ébranlaient les talus sablonneux ; cela vous montait dans les jambes, vous cognait contre le cœur. Et des lapins surgissaient toujours, petites taches rondes, de loin, éparses sur les champs, et qui bougeaient soudain, en alerte, roulaient parallèlement et replongeaient au bois comme si des fils les eussent tirées. « Les perdrix », disait Sarcelotte. Et c'étaient des compagnies de rouges qui piétaient par une raie, dans un chaume, la tête droite et presque immobile, les pattes véloces qu'une mécanique semblait mouvoir ; des compagnies de grises qui vous partaient tout à coup sous le nez, vous suffoquaient du fracas caquetant de leur vol. Sarcelotte disait encore : « les lieuves ». Et aussitôt des capucins hottus se gîtaient au creux des sillons, se collaient, de poil invisible, le long d'un tas de vieilles fanes ; mais Raboliot souriait parce qu'il les voyait quand même, dépeignant leur œil de côté, craintif, écarquillé tout rond. Et les grands lièvres déclenchaient leurs jarrets, se déployaient de tout leur long, efflanqués, bondissant, crochetant, le cul soulevé, la terre des champs volant en poudre à leurs semelles... Et tout autour des mots que disait Sarcelotte, d'autres bêtes se pressaient encore, s'entrevoyaient pêle-mêle, ici, puis là, au travers d'une contrée connue et pourtant quasi fabuleuse, dans les joncs des étangs, dans la ramure des chênes, à la surface des eaux et de la terre au ciel : des caillasses filaient, la queue horizontale ; des pics-verts, en lisière des futaies, déroulaient les courbes de leur vol, glissant les ailes fermées, remontant, glissant encore, avec leur cri précipité, leur aigre musiquette à trois notes ; des écureuils grognaient dans les sapins ; des vanneaux noirs et blancs tournaient en rond dans le soleil, liés à leur nid comme des cerfs-volants captifs ; des judelles ramaient, tendant le cou, rentrant le cou, une deux, une deux, à la parade ; un héron voguait dans la nue, soulevé sur ses ailes lourdes, les pattes pendantes comme des branches cassées ; et tout à coup, dans une enclave cernée de bois, un grand chevreuil dressait sa tête inquiète, démarrait d'un bond fou, le feu à ses quatre sabots.

Les mêmes vagues arrivaient toujours, longues, puissantes, l'une suivant l'autre. Raboliot se laissait porter, s'abandonnait à leur ample flux : il devenait ce flux lui-même, envahi tout entier, comble d'images et de désirs. Parfois encore il se sentait heurté, ainsi que d'une épave charriée par le flot, d'une pensée dure qui le blessait. C'était comme un arrêt pénible, une hésitation suspendue : il recouvrait conscience de sa vie menacée, de sa maison et de Sandrine, des ennemis qui voulaient sa perte. Alors, il tremblait d'impatience ; il attendait avec angoisse que reprît ce flux régulier, ce fort glissement des vagues qui l'entraînaient. Il se disait : « Que je voule, que je ne voule pas, je n'ai plus autre chose à faire. Deux cents francs, j'en ai bien besoin. Comment les gagner autrement ? Tout me pousse, faut bien que j'y aille. Il n'y a pas de Bourrel qui tienne, ni de prison, ren en tout sur la terre. D'y retourner, c'est mon destin : tu iras, Raboliot, tu iras ! » Et c'était comme s'il avait dit, comme s'il avait crié vers ces minces épaves noires qui dansaient près de sa poitrine : « Passez ! Passez ! Disparaissez ! Et qu'il n'y ait plus rien, que ma perte et que mon plaisir ! »

— Alors, dit Sarcelotte, ça sera pour demain ?

Il répondit :

— C'est bougrement long à attendre.

Et Sarcelotte se mit à rire, parce qu'il retrouvait Raboliot.

VI

Ils avaient bien combiné leur affaire. En quittant Sarcelotte, Raboliot était monté vers Bouchebrand, où il avait deux mots à dire.

Ils en avaient longuement discuté. Raboliot hésitait, retenu par la pensée de Souris, par le souvenir de ce qu'il éprouvait près d'elle, cette sensation glaçante d'isolement, de lointain. Mais Sarcelotte avait insisté : « On aura besoin d'y aller, peut-être. Pour changer le carbure dans la lanterne, pour poser le gibier si on en a trop lourd (c'est ben probable), le fournil nous serait commode... Et puis, vaut toujours mieux avoir quelqu'un sur qui compter. La Flora ne te méprise point, m'est avis. Une supposition qu'un curieux, cette nuit-là, vienne toquer à sa porte et lui demande si elle a vu du monde, un bon renseignement à l'envers ne gâterait point notre travail... Les femmes, garçon, ça sait mentir. »

Et Raboliot était passé chez la Flora. Depuis que Malcourtois était à l'ombre, Tancogne l'avait laissée à Bouchebrand. Il y avait tant d'années que les cultures allaient comme elles pouvaient ! C'était une métairie tombée, des friches sales tout autour, des bâtiments qui menaçaient ruine : le gars qui aurait pris la suite aurait fait un mauvais marché. Tout le monde le savait. En attendant qu'il arrivât un amateur, la Flora restait à Bouchebrand : ça pouvait durer longtemps.

Quand Raboliot était venu, elle lui avait ouvert tout de suite, ayant reconnu sa voix. Elle avait bien voulu ce qu'il lui demandait : de lui, elle aurait bien voulu n'importe quoi.

Il faisait noir, dans la salle basse, à n'y pas voir sa main contre ses yeux. Ils chuchotaient, l'homme et la femme l'un devant l'autre. Raboliot sentait, sous son nez, une odeur fauve de cheveux et d'aisselles. Il avait allongé le bras et rencontré une tiédeur élastique, une moiteur de peau à travers l'étoffe d'une chemise. Aussitôt, elle s'était collée à lui, et un bruit d'eau qui gronde, comme d'un œillard d'étang grand ouvert, lui avait empli les oreilles. Ç'avait été, dans la ténèbre épaisse, une étreinte rapide et goulue, la nudité de la Flora parcourue sans entraves, à grands glissements de mains appuyés, un attouchement brutal et qui avait laissé aux doigts de Raboliot la brûlure d'un persistant contact, dans tout son corps, avec un désir sauvage, une pesanteur obscure de dégoût.

Quelque part dans la salle, ils avaient entendu un froissement de paillasse. Ils s'étaient écartés l'un de l'autre comme si on avait pu les voir. Et Raboliot avait dit à haute voix :

— Tu ne dors pas, Souris, à cette heure?

La drôline n'avait rien répondu. Ils percevaient son souffle qui veillait.

— Elle est toujours la même, avait dit la Flora ; guère causante, bachique en diable...

Et elle avait ajouté, sa bouche mouillée sous la moustache de Raboliot :

— Tu reviendras?

— Dame oui.

En s'en allant, il n'était pas trop fier de lui : ça n'était pas pour ce travail qu'il était venu à Bouchebrand. Il se chuchotait à lui-même, avec un contentement honteux : « Un rude cochon, voilà comment tu t'appelles ». Mais son désir ne tombait point, battait comme une blessure à vif. Et c'était son désir encore, indulgent, rancunier, la hantise physique de Flora qui le poussait à parler d'elle, à la mêler à lui dans les paroles qu'il disait à mi voix : « C'te garce, quand même ! T'as vu c'te garce, sacré cochon? »

Le lendemain, sur les onze heures de nuit, il retrouva les compagnons contre la route de l'Aubette, entre le bois de Chanteloup et celui de la Sauvagère. Il avait son fusil, et dans ses poches quarante cartouches à pleine charge. Sarcelotte, Berlaisier en apportaient chacun autant.

— T'as la lanterne, Sarcelotte ?

Le braco, l'index replié, fit tinter le réflecteur de nickel. Berlaisier, avec une bague de laiton, fixait à son médius un grelot, qu'on entendait trembler doucement par intervalles.

— Allons-y !

Ils prirent une large allée qui traversait une boulassière, guidés, dans les ténèbres, par les clappements mouillés que faisaient leurs semelles de corde contre le sol marécageux. La nuit était incroyablement noire, bourrée de nuages épais qui comblaient tout le ciel de leurs énormes écroulements. Il faisait presque doux, bien que le vent soufflât assez raide : quand ils passaient auprès d'un petit chêne, ils entendaient bruire ensemble toutes ses feuilles sèches.

— Par ici, chuchota Raboliot.

C'était lui qui marchait le premier, parce qu'il connaissait la contrée sans un manque, et aussi parce qu'il était le plus habile à se diriger sans y voir. Il obliqua dans une allée de tir, où les fougères avaient été fauchées ; des coutons raides s'écrasaient sous leurs pieds, hargneusement. Parfois, une ronce oubliée les saisissait à la cheville, les faisait chanceler au passage : ils se rétablissaient d'un saut trébuchant, sans rien dire. Le seul bruit qui les accompagnait était de branches redressées derrière eux, et peut-être, imperceptible, le frisson du grelot que Berlaisier serrait fort dans sa main, au fond de sa poche.

Raboliot, les bras étendus, arrêta les camarades.

— On y est ? souffla Berlaisier.

— Oui.

Ils pressentaient, en avant d'eux, un espace découvert où le vent coulait librement. Le ciel leur apparut ; de vagues pâleurs, entre des abîmes plus sombres, modelaient les nuées par masses formidables qu'un même mouvement bousculait d'est en ouest.

— Donne de l'eau, Sarcelotte.

Sarcelotte obéit, tourna le régulateur : un relent d'ail flotta dans l'air, grandit, insistant et fétide. Les trois hommes s'engagèrent dans la friche, levant haut les genoux parmi les touffes de bruyères, les ajoncs épineux qui leur griffaient les jambes à travers le velours des culottes.

— Allume.

La flamme d'un briquet tremblota, éclaira le visage et les mains de Sarcelotte, la conque brillante du réflecteur. Le gaz fusait en susurrant : il s'alluma soudain, avec une explosion légère ; un long pinceau blafard jaillit, transperça brutalement les ténèbres. Ils fermèrent un instant les yeux.

— En avant, dit Raboliot... Et toi, Berlaisier, le grelot.

Le tintement du grelot trémula dans le silence nocturne, clair, régulier, couvrant le bruit des pas. Sarcelotte avait pris la tête, Berlaisier à sa gauche et presque à sa hauteur. Raboliot les suivait, un ou deux mètres derrière eux, son fusil armé sur le bras.

Leurs cœurs, ensemble, avaient battu plus fort au jaillissement de la lumière, à l'éveil sonore du grelot. Ils continuaient de battre ensemble, largement, délicieusement. Sarcelotte, pour être plus à l'aise, avait déboutonné sa capote de soldat : elle flottait sur ses jarrets, ample et vague ; le collet relevé, de chaque côté de sa nuque, allongeait comme deux cornes noires. Petit, il tenait haut le bras qui portait la lanterne, et le pas vif, la tête preste, il tournait son falot avec une capricieuse et sûre vélocité, dardait le faisceau blanc au travers de la plaine, l'allongeait, l'accourcissait, plus près, plus loin, à droite, à gauche, fauchant la nuit de cette lame gigantesque avec une adresse délicate. Berlaisier le dominait de toute la tête. Sa haute silhouette, dans le halo de la lanterne, dressait son ombre lourde et la largeur de ses épaules. Parfois, le rayon lumineux l'effleurant, son profil surgissait tout à coup, cerné d'un ourlet d'or où brillait chaque poil de moustache. On devinait à son côté, contre sa cuisse, le mouvement de sa main qui sans trêve secouait le grelot.

Raboliot regardait à terre, partout où fauchait la lumière. C'était encore « sale » à leurs pieds, des bruyères chétives et mouillées. Mais bientôt le terrain s'affermit, des chaumes parurent, chacun projetant son ombre sur le sable. Et des bestioles se mirent à sauter, des musaraignes, des mulots, des souris, entrecroisant, éparpillant des bonds démesurés, jaillissant au contact du rayon comme de grosses puces rondes et blêmes.

Berlaisier, en silence, toucha l'épaule de Sarcelotte. Le faisceau évolua, distendu, se rétracta vivement, tomba en rond sur le premier lapin.

Il apparaissait à quelques mètres, assis de flanc, immobile comme une motte. La clarté crue pâlissait son pelage, la houppe de sa queue était plus blanche que neige. Sarcelotte abaissa la lanterne ; le bras tendu, le corps un peu penché, il approcha, les autres le suivant. Ils virent l'œil du lapin, de nuance sombre et profonde, s'éclairer d'une transparence rougeâtre, s'illuminer tout à coup d'un point vif : le reflet du papillon flambant. Le vent, passant sur lui, soulevait dans son poil des ondes courtes et frissonnantes.

— A toi, Berlaisier !

Le grand gaillard s'effondra d'une masse, écrasa la bête sous son poids. Il eut, debout, le geste familier aux chasseurs de grillages, une traction appuyée dont craquèrent les frêles vertèbres : le lapin tomba au fond du sac.

Et tout de suite ils en virent d'autres, des dizaines, épars à la surface du champ. Quand la lumière les atteignait, ils s'arrêtaient, et la fixaient de leur œil arrondi. Assis les oreilles droites, rasés à plat et les oreilles couchées, ils avaient tous la même attitude contrainte, ils peinaient tous d'une même stupeur paralysante. Certains semblaient soudain s'arracher à l'emprise du rayon : réfugiés au creux d'une raie, ils s'y coulaient, ils s'y traînaient gauchement, l'échine de guingois, les pattes gourdes. Sarcelotte tournait la lanterne, les rendait à la nuit fraîche et sombre : alors, ils s'arrêtaient, ils regardaient éperdument cette longue traînée de clarté blanche qui palpait la plaine comme une main. Il n'y avait qu'elle dans le noir, et ce bruit clair et continu, de bétail qui pâture au loin ou de grillon qui chante dans les chaumes. Berlaisier, sans arrêt, agitait le grelot. Les hommes, tout autour d'eux, sentaient ces petits corps boulés et blottis dans la nuit. Le faisceau pivotait, balayait ras les glèbes : et les lapins s'aplatissaient encore, fixaient encore, au cœur d'une aube brutale, ce soleil blanc qui les ébouissait.

Ils furent quatre; l'un après l'autre, cloués sur place par la lanterne. Quatre fois Berlaisier tomba, cassa des reins, entr'ouvrit son sac. Embarrassé un peu, il manqua le cinquième lapin, pareillement le sixième, s'étant lancé trop en arrière : des poils tièdes lui restaient aux doigts.

Ils ne dirent rien, mais se comprirent. Raboliot souleva son fusil, et, dans la seconde, tira. Ce fut un bruit énorme qui bouscula au loin les ténèbres, s'enfla, répercuté longuement par les échos des bois dont ils sentirent aussitôt la présence. Leurs cœurs battirent un peu plus rude, comme à l'instant où s'était allumé le falot. Mais Raboliot déjà tirait encore : et leur sang recouvra son rythme égal et fort, sa bonne chaleur vivifiante.

Ils marchaient, toujours silencieux. Ils accomplissaient leur besogne, chacun avec une aisance assouplie, joignant ses gestes à ceux des autres, les secondant, les complétant : c'était une belle équipe, homogène, harmonieuse, un chasseur à six bras dont les têtes pensaient d'accord. Sarcelotte « donnait ses coups de lanterne », fouillait partout la nuit profondément ; de temps en temps il se baissait, ramassait un cadavre encore chaud, et son bras libre le tendait à Berlaisier. Quand Raboliot avait tué vers la gauche, Berlaisier obliquait un peu, se baissait en marchant et cueillait la bête morte au passage ; mais son grelot tintait toujours, égrenait sans une pause son drelin précipité. Le plus souvent, c'était le lanternier qui cherchait et trouvait le gibier, qui l'arrêtait dans la lumière ; parfois aussi l'homme au grelot allongeait son bras en silence, et la lumière tournait docilement à la suite, révélait d'autres bêtes qui tentaient de fuir vers les bois.

Raboliot tirait entre eux, à leur côté, pardessus leurs épaules. Le canon bleu de son fusil plongeait durement dans la clarté, pointait vers les lapins apparus. A chaque instant une flamme falote en jaillissait, guère plus visible qu'au plein jour, et la crosse poussait l'épaule de Raboliot. Entre la rivière et les bois, les détonations se répercutaient, si nombreuses par instants qu'il n'y avait plus de silence : les unes roulaient comme un tonnerre; d'autres montaient au ciel, denses comme une boule, et soudain éclatant retombaient de là-haut, avec un bruit de grêle sur un étang. Le métal du fusil brûlait les doigts du braconnier, la provision de ses cartouches s'allégeait au fond de ses poches ; quelquefois, une douille qui tombait tintait vif contre un caillou.

Ils continuaient leur marche à travers le vacarme, derrière cette longue clarté tournante. Quelques gouttes d'eau, chassées par le vent s'écrasaient contre leurs visages ; quand elles passaient devant le réflecteur, elles scintillaient, brusquement agrandies, pareilles à des flocons éblouissants.

A un moment, Berlaisier eut son geste muet vers l'épaule de Sarcelotte. Juste en même temps, celui-ci abaissait la lanterne, et Raboliot distinguait lui aussi une perdrix au bord d'une raie. Le grelottement monta un peu plus fort ; ils dévièrent légèrement vers la droite, de sorte à découvrir la raie dans sa longueur : toute la compagnie était là, « capie » en file irrégulière. Comme il ne faisait plus très froid, les oiseaux ne se touchaient pas l'un l'autre. Les bracos accentuèrent ensemble leur manœuvre, tournant autour du rond illuminé jeté sur les perdrix comme un filet. Sarcelotte cependant les serrait de plus près : la clarté circulaire précisait ses contours ; ils voyaient maintenant les becs rouges, les petits yeux de jais dans les têtes blanches et grises, les collerettes noires... Le grelot sonnait à les toucher. Berlaisier s'écarta un peu, Sarcelotte se baissa, et Raboliot, doucement, mit un genou en terre.

Il prenait la raie d'enfilade, tout le chapelet de plumes aligné au bout du fusil. Le coup partit, se fondit aussitôt dans le claquement sifflant de l'essor, dans la vision des ailes poursuivies montrant leurs revers pâles frappés en plein par la lueur, dans l'explosion du second coup. Des plumes éparpillées tournoyèrent; des chutes rebondirent çà et là sur le sol. Ils ramassèrent les perdrix tuées, neuf petites têtes pendirent dont les becs dégouttelaient d'une rosée rouge. Le sac, au dos de Berlaisier, enflait sa bosse.

Et la chasse reprit, les hommes marchant vers l'est, contre le vent, le visage rafraîchi par sa coulée puissante. A leur gauche, des prés plats s'étendaient jusqu'aux peupliers du Beuvron. A leur droite, au delà de champs ou de friches, le bois de la Sauvagère amoncelait ses profondeurs noires. C'était de ce côté que les lapins étaient le plus nombreux ; vers les broussailles de la lisière, ils traînaient des fuites gauches, risquaient d'infirmes évasions. Les plombs de Raboliot les bloquaient presque tous, les uns s'affalant comme des chiffes, d'autres culbutant par la tête, et d'autres retombant après un saut vertical avorté. Il tirait vite, à toutes distances. Souvent, à l'extrême bout de la zone éclairée, deux longues oreilles passaient, coiffant une petite forme pâle, à peine distincte... Berlaisier, Sarcelotte l'apercevaient bouler sur place, au coup de fusil, et repéraient le cadavre immobile en attendant l'instant de le ramasser au passage. Chaque lapin que voyait Raboliot était un lapin déjà mort. Il voyait près de lui les silhouettes noires des camarades, une mare de lumière vive qui se déplaçait sans cesse, traversée d'herbes secouées par le vent, peuplée de bêtes : et ses yeux la suivaient, devant eux le canon du fusil toujours pointé dans la lumière, ici, puis là, une seconde immobile, et lâchant sa volée de plombs. Il ne voyait rien d'autre, attentif uniquement à tuer, le plus possible et le plus vite possible. Berlaisier seul, en secouant le grelot, en ramassant le gibier massacré, tournait souvent la tête par-dessus son épaule, épiait l'espace nocturne intensément. Il lui semblait alors arracher ses regards à la lumière impitoyable ; il retrouvait d'un coup la plaine sombre alentour, le ciel gonflé de nuages pommelés, et les cimes noires des bois que ses yeux fatigués voyaient se déplacer d'un bloc, glisser sur l'horizon en un lent mouvement balancé.

Deux compagnies de rouges furent « arrêtées » encore. Raboliot vers chacune envoya ses deux coups, le premier sur les perdrix blotties, le second dès l'envol, à un mètre de terre. Une seule bête échappa, que le faisceau suivit longuement, pourchassa aux profondeurs de la nuit. Et les champs vinrent mourir dans une lande spongieuse, les bois très vite baissèrent sur l'horizon : la vallée du Bouchebrand s'évasa du sud au nord.

Alors, et d'un commun accord, ils se dirigèrent vers le sud, parmi de hauts genêts qui les fouettaient au ventre, à la poitrine, et quelquefois leur cinglaient le visage. Sarcelotte élevait la lanterne à bout de bras. Ils marchaient le plus vite qu'ils pouvaient, vers un grand chêne au bord du ruisseau.

— Tu peux y aller, chuchota Raboliot.

Le rayon monta obliquement, dansa dans la ramure du chêne. Des froissements d'ailes s'entendirent, et aussitôt le fusil claqua.

— Ramasse vite, Berlaisier... Et toi, Sarcelotte, éteins.

Dans la jonchée des plumes tombées, Berlaisier ramassa les faisans, trois poules mortes qui semblaient fanées, un coq royal, éclatant de carmin, d'émeraude et d'or rouillé, chatoyant de fugaces reflets mauves. Le coq vivait encore ; Berlaisier, chaussé « trop mou » pour l'assommer contre son pied, lui défonça le crâne sous ses dents.

Sarcelotte souffla la lanterne : les ténèbres les assaillirent, s'engouffrèrent lourdement dans leurs yeux. Raboliot voyait au travers tourner de grands cercles rougeâtres.

— On n'a plus l'habitude, murmura-t-il. On s'arrœille trop, on se fatigue la vue.

Mais bientôt la nuit s'éclaircit ; le chêne, les prés, les bois lointains reprirent leurs places; et le ciel s'élargit sur leurs têtes.

— Hé ! là ! dit Sarcelotte. V'là que ça se dépatte, là-haut ! Si ce sacré vent d'est ne tombe pas, dans une heure il fera clair d'étoiles.

Il épia l'espace autour d'eux :

— On n'entend ren ? demanda-t-il.

— Ren en tout.

— Alors en avant !

Maintenant ils échangeaient des paroles chuchotées :

— Si ça dégringolait, dis donc !

— Ça doit peser lourd, Berlaisier ?

— Amenez-moi des cartouches, vous deux : je n'en ai quasiment plus.

Une joie violente les accompagnait, la même joie pour les trois, et qui semblait soulever leurs pas. Près d'eux, le Bouchebrand coulait vite, débordait çà et là sur les prés. Ils regardaient son eau luisante et sombre, où s'étiraient de vagues reflets d'étoiles. Raboliot murmura tout à coup :

— Y en a trop large pour sauter par-dessus. Si des fois on était coursés, le temps de trouver la passerelle, on serait faits.

— Pas de danger ! dirent ensemble les deux autres.

La passerelle apparut. Ils la franchirent en courant presque :

— Hardi ! Grouillons ! Faut qu'il en dégringole encore !

Ils rallumèrent, et prirent les champs qui montent vers Chantefin. Raboliot fusilla les lapins sortis des pineraies, cingla de ses deux coups une compagnie de grises. Berlaisier, si robuste qu'il fût, commençait à haleter sous le faix.

Parfois, dans les branches des pins, s'émouvait un grand bruit d'ailes. La lumière, maintenant laiteuse, tournait largement dans le ciel, accrochait tout à coup des ailes pâles qui montaient, qui dérivaient avec le vent. Et ils disaient :

— On voit qu'il a fait doux : les ramiers sont déjà revenus.

Et de nouveau :

— Tu n'entends ren ?

— Ren en tout.

— Ecoute voir... On dirait que ça tire.

Des pulsations menues passaient avec le vent, accourues de très loin, aux limites du silence.

— Ça vient de Framel, on dirait ?

— Ben plus loin, en allant sur Cerdon.

D'autres coups de feu s'entendirent, plus nets, qui cette fois semblèrent trouer le vent, heurter la nuit entière et l'émouvoir d'une chiquenaude. D'autres encore claquèrent à la file, si sèchement détachés qu'on les aurait crus tout proches.

— A c'coup, les gars, c'était sur Tremblevif !

Ils se mirent à rire, contents de cette nuit crépitante, de ces détonations qui venaient les trouver comme des signaux d'amitié. Les gendarmes devaient pédaler, sur les routes !

— Un lieuve ! annonça Berlaisier.

Le capucin trottait drôlement, par grandes détentes espacées. Berlaisier lança un coup de sifflet : le lièvre s'arrêta court et s'assit. Il se tenait face aux bracos, les pattes de devant levées ; plusieurs fois il se les passa sur les yeux, se frotta rapidement le museau avec des gestes qui semblaient jouer, des prosternations cocasses devant ce flamboyant soleil nocturne. La décharge de plombs l'atteignit par-dessous, le souleva de bas en haut avec violence. Il pendit, efflanqué, au poing de Berlaisier ; le pouce de l'homme coula un glissement appuyé dans le duvet neigeux du ventre.

Quand, après un long détour, ils rejoignirent enfin le chemin de Bouchebrand, quatre autres lièvres avaient disparu dans le sac. Le ciel s'éclaircissait vers l'est par métamorphoses insensibles. Entre de grandes plages de nuées blanches, des lacs bleu noir palpitaient d'étoiles. A leur droite, ils distinguaient le creux de la Sauvagère, l'étang obscur où brillait par moments, à la pointe d'une vaguelette soulevée, un reflet vif aussitôt éteint, une écaille de clarté nacrée. Les épicéas de l'île dressaient leurs silhouettes côte à côte, sur leurs bases massives effilaient des cônes ténébreux, jusqu'aux cimes acérées où semblaient s'érafler les nuages.

Et la masure de Bouchebrand apparut,

tassée sous le grand merisier. Sur l'aire, un peu en avant, le fournil détachait son pignon.

— Tu y vais? demanda Sarcelotte.

Raboliot acquiesça :

— J'y vas, mais je n'serai pas long. Vous autres, entrez dans le fournil, — c'est ouvert, — et rechargez vivement la lanterne.

Il frappa cinq coups dans la porte, ainsi qu'il en avait prévenu Flora. Cette porte, selon la coutume campagnarde, était coupée dans sa hauteur en deux vantaux superposés.

— C'est toi, Raboliot?

Le vantail du haut s'entr'ouvrit. La Flora inclina son buste, son visage pâle alourdi de tresses végétales. Raboliot sentit leur fraîcheur sur sa face, en même temps que la brûlure des lèvres.

— Tu n'as vu personne? demanda-t-il.

— Non.

— Et tu sais quelque chose?

— Non plus.

— Tu te rappelles ce qu'on a convenu, s'ils s'amenaient?

— Oui... Oui...

Elle l'embrassait encore, gonflant sa gorge.

— Tu entreras ben une minute, allons?

Mais il secouait la tête, appuyait ses mains, fortement, sur la tranche de la porte basse. Cette barrière de bois leur cognait durement les genoux.

— Les autres sont dans le fournil, murmurait-il très vite, sans être trop à ce qu'il disait. Ils rechargent la lanterne. Ils doivent avoir fini... Faut que j'y aille.

Il s'écarta soudain, saisi par la sensation d'une présence. Une voix sortit de l'ombre, derrière la Flora :

— Moi, je sais quelque chose.

Il reconnut Souris avec malaise. Agile, glissante comme une fumée, elle escalada la porte close, sauta sur l'aire. Sans la réalité de sa voix, il se fût demandé encore si elle était auprès de lui.

— Les gardes sont dehors, continua-t-elle. Ils sont de l'autre côté du Bois-Sabot, passé la route, à traîner par le canal... Mais peut-être qu'ils reviennent à cette heure : on entendait tirer rudement fort, sur Chantefin.

Tandis qu'elle parlait, Raboliot délibérait en lui-même. Il lui dit tout à coup :

— Arrive !

Et il la poussa dans l'ombre du fournil. Berlaisier, Sarcelotte étaient agenouillés l'un devant l'autre. Berlaisier, dans sa main, tenait un briquet allumé ; cela faisait sur le carrelage une flaque de clarté rouge qui tremblait. Des débris de carbure pulvérulent éparpillaient entre eux de petites mottes vert-de-gris.

— On a fini, dit Sarcelotte.

Il releva les yeux, et il aperçut la drôline.

— D'où tu sors, toi ?

Raboliot répondit pour elle :

— Elle nous a entendus sur Chantefin, elle nous guettait venir... Elle dit que les gardes sont en tournée par le canal, passé la route du Bois-Sabot, mais qu'ils pourraient s'amener, qu'ils ont dû nous entendre aussi...

— Alors ? firent les deux hommes.

— Alors quoi ? On y va quand même.

— Là voù ? interrogea Souris.

Ils la regardèrent assez longtemps, Raboliot surtout, sans rien dire. Elle soutint tranquillement l'épreuve ; et tout à coup, avec un geste de tête vers la maison :

— Alle s'est refourrée dans son lit, moman. Vous créyez qu'alle en bougera ? Si les gardes s'amènent, je me gênerai mieux qu'elle à leur répondre. Et si je sais où vous chercher, je saurai vous trouver avant eux... Raboliot peut vous dire : j'ai l'habitude de trotter la nuit.

Raboliot tressaillit légèrement. Il continuait à la scruter ; et l'on voyait qu'il continuait aussi à discuter avec lui-même.

— C'est ben vrai que si tu voulais... murmura-t-il.

La gamine sourit, presque câline :

— Mais dites-le donc ! s'écria-t-elle. Pour sûr qu'en voilà des affézes !... C'est sur Chantefin qu'il faudra les envoyer ?... leur raconter que vous y êtes toujours ?

— Justement.

— Et vous serez sur Buzidan?

Puisqu'elle se doutait déjà, il valait mieux peut-être ne plus rien lui cacher, jouer franc jeu avec elle et se la concilier toute entière : elle en savait assez pour devenir dangereuse, si par une défiance maladroite on lui donnait envie de l'être.

— Allons ! dit Raboliot. C'est temps de repartir.

Dès le seuil du fournil, ils s'aperçurent que le ciel s'était dégagé davantage. Vers le zénith, un clair immense ouvrait les nuages, piqué d'étoiles. Alors Raboliot dit très vite :

— On va sur Buzidan, oui bien. Pas dans la plaine... Du côté des étangs... On prendra entre la grande allée et les deux étangs de Malvaux... Tu comprends bien? Si des fois il fallait s'ensauver, on passerait le canal sur le pont de Malvaux... Et si des fois tu voyais les gardes, rappelle-toi de les envoyer ailleurs, vers Chantefin si tu veux, ou vers la Sauvagère, n'importe où vers le Beuvron, mais pas par là.

Il répéta : « Tu comprends bien? » et vainement attendit la réponse.

— Où qu'elle est? demanda-t-il.

Ni Berlaisier, ni Sarcelotte ne l'avaient aperçue disparaître. Ils regardèrent alentour dans la nuit, sans la voir, et n'osèrent la héler.

— Alle sera rentrée en douce, dit Sarcelotte. C'est sa manière, à ce sautesiot [1].

Mais une gêne les suivait à travers les pineraies de Bouchebrand, et les suivait encore quand ils passèrent au pied de la butte, sous la ferme de Buzidan.

— On commence ici ?

— Non da ! On est trop découverts... Du pailler de la ferme, ils nous dépeindraient vite et nous tomberaient dessus.

Ils s'étaient retournés. Berlaisier grogna dans sa moustache :

— Bon Dieu ! Il fait tout de même plus assez noir.

Ils distinguaient au faîte de la butte les coiffes appesanties des meules. Raboliot, qui voyait plus aigu que les autres, fut secoué d'un grand sursaut :

— Attention, les gars ! Il y a du monde là-haut !

Berlaisier, Sarcelotte regardèrent à leur tour. Ils chuchotèrent, après un instant :

— On ne voit parsonne.

Un autre instant passa, au bout duquel ils demandèrent :

— Tu vois encore ?

— Non, plus ren.

Alors ils se rassurèrent :

1. Sauterelle.

— T'auras cru... T'as les yeux fatigués : tu le disais encore tout à l'heure... A réfléchir, c'était pas possible.

— Guère, reconnut Raboliot.

Ils descendirent encore, contournant un rehaut de la butte qu'épaississait une pineraie de quinze ans, déjà haute. Raboliot regarda derrière lui : les bâtisses de la ferme avaient toutes disparu derrière le mouvement de terrain.

— Donne toujours un coup, Sarcelotte.

A peine la lanterne allumée, des fuites de lapins zigzaguèrent, s'aplatirent, animèrent l'étendue des champs. Raboliot heurta du pied un oreillard rasé hors de la zone illuminée; un autre, démarrant affolé, vint donner du nez contre sa jambe.

— Ah ! les gars ! exulta-t-il.

Et il tira, toute son inquiétude oubliée. Et le massacre reprit, dans la clarté brutale et le vacarme des coups de feu. Et le grand sac, que Berlaisier avait vidé à Bouchebrand, se gonfla de nouveau, pesa aux épaules du gaillard.

Une demi-heure passa. Ils atteignirent le premier étang de Malvaux, recommencèrent à monter entre l'étang et la grande allée. La main de Berlaisier, tout à coup, saisit l'épaule de Sarcelotte.

— Arrête voir ! souffla-t-il.

Et aussitôt, la voix pressante :

— Donne un coup en èrriére, vite !

La lueur tourna, balaya par-dessus le creux la longue pente de Buzidan. Et dans cette lueur, à moins de cinquante mètres, ils distinguèrent nettement des hommes qui galopaient vers eux.

— Foutons le camp ! Hardi !

— Dret au pont de Malvaux !

— Par l'allée ! A l'allée d'abord !

Ils prirent leur course à toutes jambes, avec, de loin en loin, de brèves paroles qui haletaient :

— Comben qu'i's sont ?

— Tro' ou quat'e.

— Eclaire-les, Sarcelotte... Tape-leux y dans les yeux !

Sarcelotte s'arrêtait une seconde, fouillait la nuit du faisceau lumineux. A chaque coup de lanterne, ils mesuraient anxieusement la distance qui les séparait des poursuivants. C'étaient des hommes qui couraient bien : il leur semblait chaque fois que la distance avait décru.

— A l'allée, petit ! Guette-les au fossé de l'allée !

— Laisse faire... Laisse faire... répétait Sarcelotte.

Ils couraient toujours, vers les épicéas qui bordaient la grande allée. La lumière éclaira pour eux le fossé broussailleux et profond ;

ils galopèrent plus vite sur la piste rectiligne, chacun sur un étroit sentier entre les files de breumaille et les ornières.

— C'est le moment, Sarcelotte !

Le lanternier se retourna, braqua l'éblouissant rayon. Ils virent leurs poursuivants baisser la tête, crocheter pour retrouver la nuit. Le rayon crocheta avec eux, les maintint dans son orbe arrondi. Sarcelotte reculait doucement, la lanterne un peu haute, cherchant à saisir leurs visages. Déjà les hommes touchaient presque l'allée. La tête toujours baissée, les bras à demi étendus, tâtonnant à gestes d'aveugles, ils gravirent le talus dont l'abrupt plongeait au fossé. Brusque, le rayon volta, les abandonna aux ténèbres : les bracos entendirent l'éboulement confus d'une chute, des jurons, une autre chute plus roide où cliqueta un bruit vif de métal.

Ils filaient, allégés, vers le pont déjà proche. Le chemin remontait vers le faîte que suit le canal ; il leur semblait apercevoir les bouleaux du chemin de halage. Alors Sarcelotte eut un rire étouffé :

— T'as vu c'te pagaille?

— On passera sûrement avant eux...

— Et sitôt passés, dret au bois, en tirant sur la route de l'Aubette !

— Hardi les gars !

Tout en courant, ils écoutaient la nuit derrière eux : ils n'entendaient plus rien. Les hommes qui leur donnaient la chasse devaient avoir perdu, dans leur chute, toute l'avance ardument conquise.

— Vous les avez connus ? demanda Berlaisier.

A mots précipités, hachés, Raboliot exhala sa colère :

— Piveteau, nomma-t-il, le plus petit des saint Hubert... Et Firmin de la Sauvagère... Et puis Bourrel le cogne... Ah ! les vaches !... Piveteau, bon Dieu, t'as vu comment qu'il a pris le traindevay ?... Et Lépinglard encore, où qu'il est ?... C'est un piège, les gars, on a été vendus !

— Par qui ?

— Ah ! par qui...

L'image de Souris l'obsédait. Il serra les poings avec rage. Essoufflé de sa course, la gorge bloquée par une indignation furieuse, il étranglait :

— Un crapaud, une ordure, une venimeuse...

— V'là le pont, avertit Berlaisier.

Le chemin accentuait sa pente, empierré de cailloux glissants. Le garde-fou leur apparut, ses barreaux de fonte peints en blanc. Sarcelotte s'arrêta net, comme heurté d'un choc à la poitrine. Il souffla vivement la lanterne :

— Ah ! merde !

Il y avait des hommes sur le pont, plusieurs silhouettes soudain dressées, qui leur avaient semblé gigantesques.

— Sauve-qui-peut, les gars ! Chacun pour soi !

Sarcelotte, le premier, dégringola le talus herbeux qui surplombait le chemin de halage. Raboliot, Berlaisier le suivirent, poussés par un instinct grégaire. Ils n'étaient pas en bas qu'ils se sentaient frappés à la tête, qu'ils chancelaient sous une volée de coups de poings : d'autres hommes les avaient attendus, en embuscade au pied même du talus. Ceux qu'ils avaient vus sur le pont leur tombaient en même temps dans le dos.

Et des souffles rauques se pressèrent, des enlacements à pleins bras coupés de grondements étouffés, des chutes raidies sur le gravier crissant, des esquives sournoises, des reprises brusques avec des « han ! » de cogneurs d'arbres.

Berlaisier, debout, en secouait deux à ses épaules. Il les portait, il grimpait le talus sous leur charge, cherchant les barres du garde-fou. Les autres, soulevés de terre, ne trouvant rien à quoi s'accrocher, lançaient des coups de pieds furieux que le grand gars semblait ne point sentir. Il montait, courbé comme un haleur. Quand il fut au faîte du talus, il fléchit tout à coup, à quatre pattes, pesa contre le sol des paumes et des genoux, et se mit à ramper, pouce à pouce, d'un mouvement sourd, têtu, irrésistible.

Sarcelotte, deux fois déjà, avait glissé aux bras de Lépinglard. Il se laissait soulever sans résistance, se prêtait mollement à l'étreinte, écœurait l'homme et le déconcertait par cette inertie de mannequin. Mais soudain rassemblant ses muscles, l'échine souple et bandée à la fois, il coulait contre le ventre de l'adversaire, les bras levés comme un plongeur. Et des mains s'agrippant aux jarrets, — de gros jarrets qui se gonflaient sous la culotte, — la tête passée entre les jambes de Lépinglard, il poussait des épaules avec des saccades violentes : le saint Hubert était trop lourd ; il résistait, massif, sans presque chanceler.

Raboliot, sur le sable du chemin, se roulait avec un garde du Bois-Sabot. Poitrine contre poitrine, tantôt dessus, tantôt dessous, ils mêlaient leurs haleines et sentaient chacun sur sa joue la barbe de l'autre qui piquait. Le sang sifflait aux oreilles du braco. Il luttait farouchement, sans rien de clair en lui qu'un désir forcené de vaincre, mais harcelé continuellement de pensées troubles et mauvaises, lancinantes comme un abcès. Les grognements rauques de l'homme qu'il étreignait, son souffle que viciait un relent de tabac et d'eau-de-vie, cela se confondait avec la sensation de son mal, d'une tumeur venimeuse qui grossissait dans sa poitrine, lui emplissait la bouche d'une âcre et fielleuse amertume. Un mot lui revenait aux lèvres, toujours le même, qu'il entendait comme s'il l'eût prononcé : « C'est foutu... C'est foutu... » Et cela évoquait à la fois la chasse manquée, le gibier perdu, le guet-apens odieusement ourdi, le départ simulé des saint Hubert, la traîtrise mystérieuse de Souris, l'actuelle violence où il s'abîmait, les lendemains redoutables après ce combat sans merci, la débâcle, la fin de tout. Et il luttait, les dents serrées ; il se livrait à la jouissance du corps à corps, de sa fatigue crispée, de la rumeur sifflante que ses artères scandaient à ses tempes.

Un fracas d'eau brutalisée, un jaillissement énorme s'entendirent, et aussitôt des claques mouillées, les crachements d'un homme qui s'ébroue. Une autre chute creva le canal, écrasa tout de son vacarme... Berlaisier, seul debout au milieu du pont, lâcha les barres du garde-fou, fit jouer doucement ses doigts noués de crampes, avala un grand coup d'air. Et il fonça, l'encolure basse comme un taureau.

Lépinglard reçut cette masse au creux des reins. Il s'éboula ainsi qu'une statue de sable, roula vers le fossé en bordure du chemin. Berlaisier, roulant avec lui, s'abattit contre sa poitrine. Des branches basses lui griffaient le visage; il les empoigna à pleines mains, tira lentement, toujours plus fort, pendant que ses genoux pressaient les côtes de Lépinglard, les écrasaient d'une pesée grandissante.

— A moi ! cria le saint Hubert.

La voix peinait, suffoquée d'angoisse.

— A moi !... A moi !...

Raboliot sentit qu'on le lâchait. Il se remit debout, titubant, fit un tour sur lui-même avec une lenteur hébétée. Dans la nuit maintenant pleine d'[illegible]es, le chemin de halage se déroulait [illegible] droit, pâle et nu au pied des bouleaux. Des bruits de coups pressés, des chocs durs lui parvinrent, l'arrêtèrent, le firent se ruer vers le fossé où une grappe d'hommes bougeait confusément. Une lueur soudaine brilla au travers, l'œil globuleux d'une lampe électrique de poche. Il entrevit, le temps qu'elle brilla, le profil de Berlaisier, son crâne décoiffé et saignant : une traînée rouge coulait sous ses cheveux, lui descendait le long de la joue. Et des poings se levaient alentour, retombaient raide, sonnant comme des maillets.

— Dans le tas, Sarcelotte !

Ils s'élancèrent ensemble, entrèrent au cœur de la mêlée. Au même moment des égouttis claquaient dans l'eau, bruissaient frais contre la berge du canal. Et deux ombres émergèrent, coururent, se confondirent avec les autres.

Raboliot ne voyait plus rien : il serrait et frappait tour à tour. Un fourmillement lui demeurait aux poings ; il ne les sentait plus que comme une lourdeur à ses bras. Des coups reçus, dont il n'avait pas eu conscience, accentuaient à présent leur brûlure sur sa peau. Des contacts d'étoffes mouillées, des chocs de pieds, des souffles courts et rudes, parfois l'éveil jaune de la lampe traversaient son acharnement. Il perçut à son flanc un bruit de pas précipités, songea, l'espace d'un éclair : « Voilà les autres, ceux de Buzidan, qui s'amènent. » Et de nouveau, avec une lassitude soudaine : « C'est foutu. »

Des mains s'étaient rejointes contre son ventre ; un corps lui pesait sur le dos. Et les mains descendaient doucement, plus bas, un peu plus bas, d'un tâtonnement qui appuyait... Il rugit, traversé d'une douleur fulgurante, d'une sensation atroce d'arrachement, se tordit en soubresauts fous, roula enfin contre le talus. Ses doigts avaient touché quelque chose de dur et de froid. Ils se fermèrent, soulevèrent son fusil tombé.

— Ah ! bandit ! cria-t-il.

L'homme qui l'avait si sauvagement meurtri s'était dressé en même temps que lui. Dans un éclat de la petite lampe, il reconnut le visage de Bourrel, les crocs de sa moustache rousse, ses yeux pâles fixés sur lui. Et ce fut tout à coup comme si l'abcès longtemps gonflé crevait enfin dans sa poitrine, lui brûlait le cœur de son fiel. La notion d'un désastre l'envahit plus poignante, mille souvenirs cruels à quoi cet homme était mêlé, la mort de la petite chienne noire au claquement d'un revolver, les angoisses souffertes à travers les êtres qu'il aimait, sa détresse impuissante d'homme traqué, rejeté hors de la vie des autres, et la menace de lendemains pires, l'écrasement proche, [illegible]évitable, en même temps qu'un sursaut d[illegible], une révolte affolée de banni. Le gen[illegible]me déjà s'élançait... Raboliot songea, s[illegible]rant les mâchoires : « Ah ! tant pis ! »... Et aussitôt, un large afflux d'air aux poumons : « Ça y est ! »

Le crâne de Bourrel avait sonné sec sous la crosse. Ç'avait été, dans les oreilles du braconnier, un bruit étonnamment semblable à celui qu'il avait entendu, le soir où le cadavre d'Aïcha était resté sur la route de l'Aubette. A ce bruit dur, un flottement traversa la masse des combattants mêlés. La tête de Berlaisier émergea, ses épaules puissantes qu'il secouait. Il se dégagea tout à coup, cria vers Raboliot :

— Tire ! Mais tire donc !

Bourrel était tombé, évanoui. Ils virent des hommes qui se penchaient vers lui. Un autre homme, furtivement, rampa vers les bracos, se souleva, prit sa course : c'était Sarcelotte. Il haleta, les rejoignant :

— Tire donc ! Tire donc !

Des cris s'élevaient devant eux :

— Ils se sauvent, les gars ! Ils foutent le camp !

Et Berlaisier, tout bas, avec violence :

— Ils barrent le chemin vers le pont... Tire donc, bon Dieu ! Faut qu'on passe !...

Raboliot pressa la détente. Une double détonation retentit, formidable ; un gémissement traversa la nuit, que domina, autoritaire, la grosse voix de Lépinglard :

— Au pont ! Tout de suite au pont !

Les bracos avaient fait volte-face, s'élançaient sur le chemin de halage. Des coups de revolver crépitèrent, un vol de balles s'étira sur leurs têtes en sifflant.

— A l'eau, les gars ! chuchota Sarcelotte.

Ils s'enfoncèrent sans bruit dans le canal, glacés jusqu'aux aisselles par la montée progressive de l'eau. Les balles, sur le chemin, continuaient de siffler. Les bois épais, sur l'autre berge, les recueillirent enfin dans leur silence et dans leur mansuétude.

I

Quelque chose ren dans le fond du fossé. Le toit de ronces . soulevé par-dessous, s'écarta peu à peu. boliot passa la tête dans l'ouverture, épia ar ieusement les entours.

Ses yeux noirs, oujours luisants d'un éclat vif, avaient pris à présent une extrême instabilité : dans un même moment, leurs regards sautaient de çà de là, hasardaient en tous sens des coups de sonde aigus et prudents. Sa barbe avait poussé, sombre, épaisse, durcissant au lieu de l'atténuer le creux de ses pommettes. Sous sa casquette en loques, des mèches de cheveux ruisselaient, lui couvraient à demi les oreilles ; à travers tout ce poil, la peau apparaissait patinée d'un hâle brun, d'une teinte chaude où brillait la vigueur d'un sang pur.

Il se leva d'un coup, arrachant dans son geste les épines cramponnées à sa veste. Les cordes flexibles des ronces le raclaient dans toute leur longueur, cédaient l'une après l'autre avec des saccades bruissantes. Quand il fut hors du fossé, il les replaça une à une, recouvrit de leur entrelacs le trou qui lui avait livré passage. Et il s'ébroua comme un fauve, secouant les feuilles restées sur lui.

Il était déjà tard : il avait dû dormir longtemps. A pas coulés, avec les mêmes regards en tous sens, il fila au travers du taillis, hasarda la tête dans un clair, et sauta sur un sentier d'assommoir. C'était une piste étroite qui sinuait dans l'épaisseur du bois, de sol net et solide entre des broussailles touffues, un feutrage de breumailles, de feuilles mortes, de rejets drus. Raboliot la suivit, les jambes un peu fléchies, le buste un peu penché, d'un trot silencieux et glissant.

Il ralentit, épia de nouveau. Devant lui, deux buissons de genêt étrécissaient encore le sentier, que barrait complètement entre eux, la trappe d'un assommoir : une lourde planche de chêne, et qu'alourdissaient davantage deux grosses briques liées d'un fil de fer. A côté, jeté hors du chemin, gisait un écureuil mort. Il était tombé sur le dos, aplati par le poids du piège ; ses quatre pattes, écartelées, crispaient leurs petites mains griffues. Tournefier avait dû passer le matin, car on avait tranché le panache de sa queue : une queue d'écureuil vaut dix sous. Depuis le passage du garde, l'assommoir était tombé encore, écrasant un second écureuil. Tout l'arrière-train restait engagé sous la trappe ; le buste émergeait seul, incliné sur le chemin ; la petite bête semblait dormir, dans une attitude accoudée et paisible.

Il y avait à quelques pas un piège de fer à palette, à côté d'une charogne de lapin que Tournefier avait étalée là pour attirer les renards ou les fouines : car les fauves, à la façon des chiens, aiment se rouler sur les charognes. Ce n'était pas un fauve qui avait déclenché le piège, mais bien un troisième écureuil. Lui aussi était mort. Les mâchoires de métal, énormes, dentelées, tenaient serrées ses deux pattes antérieures après les avoir broyées. La bestiole les tendait en avant comme des bras ; elle s'était affaissée doucement sur le piège, dans un renoncement de souffrance abominable. La queue touffue, légère, gardait encore sa souplesse de panache, le pelage un éclat flambant, tout le petit cadavre on ne savait quelle grâce vivante. Mais deux mouches vertes, déjà, étincelaient dans la fourrure rousse.

Raboliot, furtivement, ramassa les trois écureuils, les enfouit dans une musette qu'il portait. Il continua de suivre le sentier, atteignit un fossé que remblayait un talus sablonneux. Alors il suivit le talus, attentif aux empreintes de pattes, décelant d'un coup d'œil le pied des bêtes qui l'avaient précédé, presque toujours des putois ou des fouines. Il s'attardait aussi aux gueules ténébreuses des terriers, observait, aux places blanches où le sable était chauve, les crottes qui s'y éparpillaient. Il s'arrêta enfin à l'orée d'une futaie de chênes, au pied d'une petite butte que foraient des terriers nombreux.

De longs rais de soleil traversaient la futaie, coulaient sur les troncs pâles verdis de lichens froids, allumaient en rasant, aux bosses soulevées par les racines, des plaques de mousses velouteuses. Le braconnier s'assit sur l'ados du fossé, fit glisser de son épaule la bretelle d'un sac de toile. De petits trous perçaient ce sac sur le côté ; la toile bougeait d'ondulations vivantes.

Raboliot fouilla dans le sac, en sortit un furet putoisé. La bête, à la lumière, balançait sa tête tâtonnante, allongeait son échine de lézard. Raboliot, dans la finesse du poil gris fauve, promenait sa paume avec une douceur machinale.

— On va chasser un peu, disait-il. On va tâcher d'en prendre deux ou trois... Ce soir, petit, on passe à Bouchebrand : t'auras une pleine soucoupe de lait.

La puanteur de la bête lui était comme une compagnie. C'était un bon furet de chasse, qui ne s'endormait point au secret des terriers en cuvant une ventrée de sang, qu'il avait chaque fois retrouvé, qui ne l'avait jamais trahi. Il en était venu à aimer ce crâne plat, ces yeux aveugles où somnolait une affreuse férocité.

Presque couché, il rampa de terrier en terrier, tendant le cou, examinant les fientes, le sable égratigné de traces. Ses narines palpitaient comme s'il eût flairé. Le furet, dans sa main, dardait sa tête avec des retraits mous, se distendait comme un lombric.

— Allez, petit !

La bête coula au trou, disparut aussitôt dans l'ombre. Raboliot, le temps d'y songer, avait tiré les bourses de ses poches, les posait aux gueules du terrier. Déjà la petite butte tressaillait de chocs profonds, de galopades assourdies et folles. Une bourse se distendit violemment et roula : le braconnier était dessus, décoiffait le lapin empêtré. Il lui brisa les reins et l'envoya, au fond de la musette, rejoindre les écureuils morts. Dans la minute, il en prit deux autres, tombé de tout son long sur les bourses soubresautantes. D'un tournemain il enleva les dernières bourses, les fourra dans ses poches et s'enfonça dans le taillis.

Le soleil déclinant traînait sous la ramée une nappe fluide et vermeille. Elle s'épandit plus large, d'une coulée pleine, unie, que Raboliot sentit sur son corps comme un bain. Il s'aperçut qu'il touchait la lisière, découvrit devant lui la plaine.

Elle resplendissait toute sous la lumière vespérale. Très loin, minuscules dans l'étendue, quelques humains se courbaient sur un champ, près d'une charrette attelée d'un cheval rouan. Par intervalles une voix parvenait de là-bas, celle du charretier criant vers le cheval : « Hue !... Hoo !... Drrié !... » Et les essieux claquaient, un instant ; le son traversait l'air, pur, dépouillé, sans avoir rien perdu de sa franchise première.

Raboliot s'allongea au-dessus du fossé de lisière, légèrement en retrait, sur la contre-pente du talus. Ses guenilles ternes, d'un gris sourd et brunâtre, se confondaient avec les nuances des branches et du sol. Il s'était étendu à plat-ventre, pressait le sable de ses coudes. Immobile, les yeux grands ouverts, il s'abîma dans la contemplation de la plaine.

C'étaient d'abord, au-dessus de lui, des chevelures de bouleaux qui pendaient dans le ciel, légères, gonflées de sève, brillantes d'une pourpre fraîche et qui semblait mouillée. Dès le fossé, les champs montaient d'un mouvement insensible, étalaient une pente douce, couverte toute entière de seigle qui levait. Les pousses vertes, sous la clarté horizontale, blondoyaient à l'infini ; la terre les portait ainsi qu'une vêture délicate, somptueuse et presque immatérielle. Ce ruissellement d'émeraude dorée se mêlait au rythme des glèbes, n'existait que par lui, exaltait sa paisible et souveraine ascension.

Plus loin à droite, vers l'Occident, les champs redescendaient avec la même lente harmonie. L'étang de Chanteloup y renversait un grand reflet limpide. Les joncs qui l'embrassaient, quelques plaisses encore défeuillées enlevaient leurs teintes chaudes, ocres vermeils, rousseurs ardentes, sur le bleu soutenu d'une pineraie qui fermait l'horizon. Le ciel touchait aux cimes des pins, semblait posé sur elles, s'y appuyait longuement ainsi qu'un globe de cristal vert : un globe sans épaisseur ou d'une épaisseur infinie, impondérable et dense cependant, de contours si fluides qu'ils déconcertaient le regard, mais dont la courbe s'infléchissait, sensible, comblait les yeux de sa radieuse perfection. Deux nuages ronds, traversés de roseurs nacrées, demeuraient suspendus, immobiles, sous la transparence verte du zénith.

Raboliot respirait lentement, la chair pénétrée d'un bien-être végétal, si absolu qu'il ne sentait plus son corps. Il ne vivait que d'une pensée sporadique, d'images éparpillées à fleur de rêve comme des îlots sur un lac. C'était le cinquième soir qu'il revenait ainsi au seuil de la grande plaine, qu'il attendait la nuit pour regagner la masure de Bouchebrand. Et comme les autres soirs, devant l'espace familier, des souvenirs le traversèrent, des visions de naguère aujourd'hui sans rudesse, qu'il regardait glisser aux rives de son être, molles, lentes, à peine mélancoliques.

C'était pourtant à lui que ces choses étaient arrivées. C'était lui qui avait, d'un coup de crosse, étendu Bourrel à ses pieds, qui avait tiré dans la nuit, fracassant le genou de Piveteau. Etait-ce possible? Il y aurait bientôt trois mois...

Il se rappelait la montée suffocante de l'eau, glaçant son ventre à travers ses vêtements, enveloppant sa poitrine en sueur, submergeant ses épaules. Heureusement, elle n'avait pas gagné davantage ; ni lui, ni Sarcelotte, bien plus petits pourtant que Berlaisier, n'avaient eu besoin de nager. Ils avançaient doucement, frôlés d'herbes gluantes, en remuant le moins qu'ils pouvaient. Les balles, avec des froissements vifs, faisaient gicler le gravier du chemin... Trois mois, arriéze ! Trois mois qu'il avait fui, qu'il vivait dans les bois comme un loup ! Il avait traversé Tremblevif, franchi loin en aval la vallée du Beuvron, poussé au nord, vers la forêt de Chaon, vers Souvigny, Sennely, Marcilly. Il y avait partout des bois pour le cacher. Il changeait de bois chaque nuit, cherchant, pour s'y bauger le jour, les fossés broussailleux que les ronciers enjambent de leur voûte. Il y dormait des sommes écrasés et fiévreux, hachés de cauchemars, d'abois de chiens, de coups de revolvers, si las que ses réveils le laissaient immobile et prostré, soulevant les paupières, à peine, toute sa force en son ouïe aux aguets, et sombrant de nouveau dans un sommeil plus noir que la mort.

Il se levait au coucher du soleil, et il chassait comme il venait de faire, ou maraudait. Avec une patience de chat, il pouvait demeurer des heures couché à la gueule d'un terrier, le corps inerte ainsi qu'une souche, mais la main suspendue, le bras bandé pour la détente, pour le rapt vertigineux : il avait pris souvent, ainsi, des lapins au déboulé.

Il hantait les sentiers d'assommoir, suivait en courant leurs méandres, de piège en piège : c'était tôt fait de soulever une trappe, d'enfouir dans sa musette un hérisson ou un écureuil écrasés. Il allumait du feu un peu avant la pique du jour, à l'heure où les champs sont déserts : un hérisson bouilli est tendre et savoureux autant qu'un poulet de grain. Il trimballait, dans sa musette, un vieux pot ramassé près d'une ferme, une baguette aiguisée pour embrocher le lapin à rôtir ; petit à petit, il avait monté son ménage.

Mais quelquefois, inquiet, il n'osait allumer du feu : le bois était trop chétif ou trop clair, on aurait vu flotter la fumée sur le taillis ; ou bien le rond de cendres, les pierres noires du foyer auraient décelé son passage. Alors, il mangeait des bêtes crues. Ça ne lui avait pas été agréable, en commençant, mais il s'y était fait bien vite ; et pareillement au manque de pain et de sel dont il avait beaucoup souffert, les premiers jours. Bien sûr qu'il avait connu de rudes passages. Avec mars, des froids terribles étaient revenus du nord, des hargnes de grésil, des nuits de gel où les grands arbres craquaient du pied jusqu'à la cime, dans l'air limpide et bleu, sous les feux verdissants des étoiles. Ces nuits-là, il marchait, parcourait des lieues de pays. A force d'errer ainsi, toujours inclinant vers le nord, il était parvenu au bord d'une vallée plate et fertile, où les toits des maisons nombreuses, les bouquets d'acacias et de peupliers estompaient leurs taches rousses et mauves à travers un voile de buée fine, trempé d'une caressante lumière. On devinait au fond, derrière cette buée qui l'enveloppait, le cours d'une grande rivière, son lent voyage millénaire. Il était au seuil du Val de Loire.

Et de ce jour, une nostalgie insidieuse s'était glissée dans tout son être, l'avait pénétré peu à peu. Il était retourné vers le sud, vers les pineraies et les genêtières, les taillis de bouleaux et de chênes où le gibier pullule et nourrit qui sait le prendre, où les fossés sous les broussailles offrent au fugitif, si par chance il n'a pas trop plu, de tièdes et ténébreuses retraites. L'air se faisait plus doux à mesure que son corps durcissait. Maintenant, il s'attardait parfois, prenait le temps de poser un collet aux passées des bouquins [1] en rut. Mais il repartait devant lui, traversait d'autres bois, toujours appuyant vers le sud. Par Sennely, par Souvigny, il avait retrouvé la forêt de Chaon. C'était un pays tout semblable à celui où il était né, avec les mêmes mouvements du sol, les mêmes friches de breumailles et d'ajoncs, les mêmes champs sablonneux bordés de plaisses et de trognards, et toujours les rousseurs des taillis, les bleus vigoureux des pineraies. Il y avait longtemps déjà qu'il avait revu le premier étang.

Il continuait pourtant, descendait vers le creux du Beuvron. Il y glissait d'une coulée invincible, comme un ruisseau qui suit sa pente. Par l'étang Marcou, par Moulinfrou, par l'Epine, il avait gagné les fourrés du bois de Chamboux, n'en était plus sorti d'une semaine. Mais quand venait le soir il s'approchait de la lisière, sautait par-dessus les chemins, ne s'arrêtait qu'au bord de la rivière.

Elle filait, vive, sur un fond de sable blanc, s'alanguissait sur un fond noir de feuilles

1. Lièvres mâles.

mortes, au pied des chênes dont les racines plongeaient dans l'eau. Elle disparaissait, chuchotante, dans un fouillis de grands roseaux : il n'y avait plus d'elle que le frisson des hampes vertes, larges, aiguisées comme des glaives.

De l'autre côté, toute proche, c'était la douceur des prairies, plus loin des chênes encore arrondissant leur cime, et ce chêne entre tous les autres au bord du ruisseau de Bouchebrand, le même où le falot de Sarcelotte avait « trahi » les faisans endormis.

Raboliot regardait le chêne, la vallée du Bouchebrand, le bois de la Sauvagère. De grands élans le parcouraient en profondeur, dont il épiait curieusement l'éveil, suivait la houle puissante et secrète. Cette houle, quelquefois, débordait tout son corps ; il la sentait sortir de lui, avec un tressaillement qui lui glaçait la peau.

Depuis trois mois, il n'avait vu des hommes que de loin, et pas un homme ne l'avait vu. Pas un regard, pas une parole. Il parlait tout seul en marchant, il pensait à voix haute, pour le soulagement qu'il avait à entendre le son de sa voix d'homme. Avec les effluves du printemps, des bouffées tièdes lui gonflaient la poitrine, lui amollissaient les jambes. Et, bien souvent, quand les soirs transparents attardaient leur lumière, ses yeux s'étaient mouillés, sans raison, comme au temps de ses quinze ans.

Il évoquait, derrière la Sauvagère, la maison de Firmin, le chenil grillagé, la selle onctueuse de savon où Tasie, robuste et rieuse, lessivait au bord de l'étang. Sa pensée, au delà, remontait à Bouchebrand, se suspendait sur la masure de Flora. Il se rappelait leurs étreintes dans l'ombre, la nudité mince et brûlante qu'avaient connue ses mains avides, la fraîcheur des tresses noires, la soumission de la bouche entr'ouverte. Un soir qu'il était resté plus longtemps à la lisière du Chamboux, qu'il avait vu la nuit engrisailler la lande, l'enténébrer sous un ciel sans lune, il avait franchi le Beuvron, remonté le ruisseau et frappé à la porte de Bouchebrand.

Cinq jours avaient passé depuis, jusqu'à ce crépuscule au bord de la grande plaine, jusqu'à cette rêverie nonchalante, sous le ciel qui pâlissait. Il songeait maintenant à la Flora, la chair soulevée d'attente, si sûr de combler son désir que ce désir ne le faisait point souffrir. Il se sentait heureux. Il l'était. Si les deux compagnons, Berlaisier, Sarcelotte, avaient voulu comme lui rester libres, ils n'auraient eu qu'à y mettre le prix, qu'à s'enfuir comme lui, se bauger des mois comme lui, avec la même patience courageuse... Il savait à présent qu'ils étaient en prison. Les policiers les avaient reconnus dès le lendemain de la rixe, Berlaisier à la plaie saignante qu'une crosse de revolver lui avait marquée sur le crâne, Sarcelotte à son parler nasillard. En quelques mots, la Flora lui avait appris tout ce qu'il voulait savoir.

La nuit de chasse à la lanterne, ils avaient eu huit hommes contre eux. Le guet-apens avait été décidé, combiné au Bois-Sabot, dans le bureau du comte de Remilleret. Raboliot avait vu les visages sous la lampe ; il se souvenait... Les saint Hubert étaient montés un soir dans le tramway, feignant de se cacher, juste assez pour laisser croire à leur départ. Descendus à la gare de Chaon, ils avaient regagné, à pied, le Bois-Sabot, s'étaient gîtés dans une mansarde sous le toit, et n'en avaient plus bougé, attendant l'heure.

C'était Souris qui avait donné le signal. Sur une parole de cette drôline, huit hommes étaient partis dans la nuit, avec leurs revolvers et leurs fusils : Lépinglard et Piveteau, trois gendarmes de la brigade, deux gardes du Bois-Sabot, et Firmin Tournefier. Le soir où Raboliot, en quittant Sarcelotte, était monté à Bouchebrand, elle les avait prévenus que ce serait pour le lendemain. Pendant que les bracos chassaient dans la plaine du Beuvron, toute l'équipe attendait, massée dans les fourrés de Bouchebrand, près de l'allée qui vient de la Patte d'Oie et passe à la queue de l'étang. Et les bracos, descendant de Chantefin, étaient entrés dans le fournil pour y recharger leur lanterne. Raboliot, alors, avait parlé. Une fois de plus, devant Souris, il avait eu la loce[1] trop longue. Ah ! pour sûr, il se souvenait ! Tous les mots qu'il avait dits, il s'entendait encore les prononcer : « Si des fois il fallait s'ensauver, on passerait le canal sur le pont de Malvaux... » Le berlaud ! Il avait dit ça ! Et la drôline avait disparu. Ils la cherchaient dans l'ombre tout près d'eux, et elle filait déjà sous les bouleaux qui bordent l'étang, vers les gendarmes et les gardes. Et toute la bande se hâtait en silence vers la grande allée de Malvaux, y arrivait avant les lanterniers, se dédoublait alors, Piveteau, Tournefier et Bourrel montant vers le pailler de Buzidan d'où ils domineraient la plaine, les cinq autres courant au pont de Malvaux, pour l'affût. Ç'avait été du beau travail !

Toutes ces nouvelles qu'il avait pressenties, la Flora les lui avait données d'un coup. Elle les tenait de la drôline elle-même, nullement honteuse du rôle qu'elle avait joué, glorieuse non plus. La nuit dernière, Raboliot l'avait vue. Elle lui avait redit toute l'histoire, sans un manque. La battre ? Tout le mal était fait.

1. La langue.

Et il avait bien vu que ça n'était pas de sa faute.

« Pour qui travaillais-tu ? lui avait-il demandé. Pour Lépinglard ? Pour Bourrel ? » Elle avait répondu : « Pour personne ». Et lui : « Tu m'en envoulais donc, à moi qu'étais gentil pour toi, qui ne t'avais jamais cherché misère ? » Alors Souris, avec un regard presque tendre : « Ah ! c'est ben vrai. V'étiez gentil... » Il y avait de quoi tomber fou. Il l'avait prise par les poignets comme il lui arrivait naguère, l'avait secouée rudement, malgré lui : « Alors, pourquoi as-tu fait ça ? Pourquoi m'as-tu conduit, un soir, vers les persiennes du Bois-Sabot ? Pourquoi m'as-tu montré la bande, si tu voulais me vendre après ? Qu'est-ce qui te poussait, petite carne ? » Elle s'était mise à trembler, baissant la tête, prête aux larmes : « J'sais-t-y ! J'sais-t-y !... » C'était de terreur qu'elle pleurait ; c'était l'angoisse des coups qui la faisait trembler. On l'avait trop battue. Tous ces coups qu'elle avait reçus, ils lui avaient tanné le cœur, à force. Il fallait plaindre ce bout de monde, trop durci pour son âge, déjà incapable d'aimer : on a un père qui est en prison, une mère qui est une putain, rien que ça ; il n'est plus qu'à tomber sous la trique d'un Volat...

Raboliot l'avait lâchée, toute sa colère sans force depuis qu'il lui semblait comprendre :

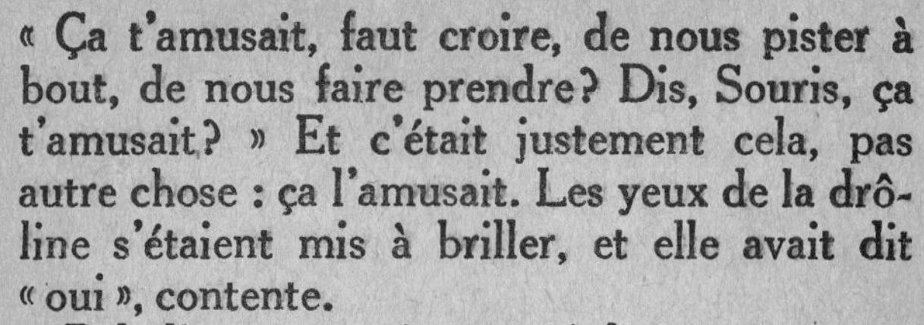

« Ça t'amusait, faut croire, de nous pister à bout, de nous faire prendre? Dis, Souris, ça t'amusait? » Et c'était justement cela, pas autre chose : ça l'amusait. Les yeux de la drôline s'étaient mis à briller, et elle avait dit « oui », contente.

Raboliot, tout ce jour, avait beaucoup songé à elle. Ce soir, il y songeait encore, et presque avec tendresse, un peu comme à une petite sœur pitoyable et farouche. C'était bien moins sorcier qu'il n'avait cru d'abord : cette Souris, il fallait bien qu'elle vécût pour quelque chose. Elle vivait pour la chasse, pour la joie de suivre une trace, d'être la plus futée, la plus « maline », de réduire par la ruse, elle qui n'avait point de force. Et elle jouait le jeu pour le jeu ; elle n'allait rien chercher au delà. Si le jeu s'était trouvé féroce, Souris ne l'avait point voulu : elle n'était qu'un chasseur, un petit animal livré à son instinct, moins sensible de cœur qu'une fouine.

Raboliot, toujours couché sur l'ados du fossé, au seuil de la plaine, avait glissé profond dans sa rêverie. Son cerveau s'engourdissait lentement, une torpeur le prenait qui était presque du sommeil. Quelques images encore se soulevèrent, des pensées vagues qui lui échappaient à demi. Il vit Souris gagée dans une ferme, un peu loin, menant aux champs une troupe de dindes. « Ça vaudrait mieux. Ça serait bien... » Il vit Bourrel qui se relevait, titubant, qui regagnait le bourg en s'appuyant sur les autres gendarmes : du coup de crosse, il avait eu pour huit jours de lit. Son crâne était guéri ; mais sa rancune, probable qu'elle ne l'était point... « Ils ont battu tous les taillis pendant un mois, avec des chiens... Ils sont venus encore, le mois suivant... Les voilà fatigués ; les temps se font moins durs. On voit des pointes jaunes aux genêts... Et ça ira de mieux en mieux... Comme il fait doux ce soir ! Je suis à l'aise... La nuit tombée, bientôt, la Flora va m'ouvrir sa porte. Sa peau est chaude, elle a une bonne odeur : on dirait qu'elle sent la girofle. »

Des cris aigres, térébrants, retentissaient sur la tête du braco, des claquements d'ailes qui tournaient en rond. Il se souleva sur un coude, avec humeur : « Ces caillasses ! Ce qu'elles sont agouantes [1] ! » Les pies l'avaient éveillé tout à fait. Elles étaient deux qui se battaient, volant à la cime d'un chêne, avec des feintes, des crochets, des plongeons vertigineux, des montées brusques en jet d'eau, liées l'une à l'autre par un fil invisible, et toujours ces cris aigres, ce jacassement furieux et ridicule.

« Ah ! les voilà parties ! » Un caprice les avait entraînées côte à côte. Le silence du soir

1. Insupportables.

reflua. Les paysans, là-bas, avaient disparu ; Raboliot distinguait encore, à peine, les cahots de la charrette qui montait vers Buzidan.

Il allait se lever, quand une tache sombre glissa sur le taillis, deux ailes étendues, immobiles. L'oiseau descendit obliquement, vint se poser à quelques pas de l'homme, sur le tronc d'un bouleau tortu. C'était une buse des bois. Debout, elle sommait la bosse rugueuse de l'arbre, les serres implantées dans l'écorce. Elle se dressait de toute sa taille, elle était étrangement hautaine. Son corps ne bougeait point ; sa tête seule, par intervalles, se tournait à demi, épiait l'étendue des champs avec une anxiété à la fois sournoise et fière où ne s'apercevait nulle crainte. Elle restait là, dédaigneuse et patiente, à l'affût des perdreaux couplés.

Raboliot, toujours allongé, coula sans bruit sur la pente du talus, en arrière. Il s'accroupit au bas, se souleva doucement, cependant que sa main cherchait dans sa poche un caillou : il en avait toujours provision. Il en choisit un au toucher, rond, un peu aplati, qui adhérait exactement à la courbure de son index. Son bras tournoya raide, le projectile fendit l'air avec un ronflement léger. Il entendit, un petit spasme au cœur, le bruit mat du caillou qui par chance atteignait la buse. Les grandes ailes de l'oiseau s'étaient entr'ouvertes au choc, comme si un souffle les eût soulevées. Lentement, presque avec majesté, tout son corps s'inclina, s'inclina davantage, s'affaissa au pied du bouleau. Raboliot arriva comme déjà elle « finissait », les yeux mi-clos, les ailes raidies d'une contraction dernière. Il ramassa l'oiseau, un bel oiseau brun de plumage, taché de blanc. Du sang coulait à la pointe du bec ; les serres noires et brillantes se repliaient, inertes, au bout des pattes vernies de jaune.

Sans hâte, la musette pleine, le braconnier revint s'asseoir sur le talus. Maintenant la nuit était proche. Les deux nuages ronds de tout à l'heure s'étaient largement épandus, étalaient dans le ciel un voile plat, d'une nuance grise et bleutée pareille à celle du givre qu'on voit aux grosses prunes de monsieur. Et ils montaient toujours vers le zénith pâli, peut-être bleu, peut-être vert, d'une profondeur vertigineuse et pure. Une éclaircie les séparait encore, un lac de topaze atténuée dont un lambeau luisait sur les champs assombris, à la surface de l'étang de Chanteloup.

Raboliot regarda s'allumer les étoiles. C'était depuis longtemps nuit pleine quand Flora lui ouvrit sa porte, à Bouchebrand.

II

Il y venait de plus en plus souvent, à la noirté. Le jour, il demeurait au bois de la Sauvagère, poussait parfois jusqu'à Chanteloup et Tremblevif, jamais au delà. Il n'avait plus jamais franchi le Beuvron vers le nord, il ne pouvait plus s'éloigner.

Etait-ce Bouchebrand qui l'attirait, l'odeur humaine de la salle basse, et les bras de Flora, sa chaude étreinte ? Les premières nuits, peut-être. Mais il avait très vite épuisé son plaisir. Le dégoût qu'il avait senti dès la minute où la Flora s'était offerte, il l'avait retrouvé en retrouvant cette femme, après sa longue errance sauvage.

C'était une garce. Il suffisait qu'un homme la regardât pour qu'elle se couchât sur le dos. Remuer des hanches, voilà tout ce qui l'occupait. Depuis un mois, des bauchetons travaillaient dans une pineraie de maritimes, à la Patte d'Oie. Ils savaient tous le chemin de Bouchebrand, et la peau de Flora n'avait plus de secrets pour eux. Raboliot n'était pas jaloux, mais il était soûl d'elle, et même en ces instants où il la serrait contre lui, gémissante, ses yeux révulsant leurs prunelles, réduits à deux minces lignes bleuâtres entre les franges de cils noirs. Il avait l'assouvissance hargneuse. La servilité de Flora, ses yeux de chienne, de femelle toujours consentante, le jetaient à des colères qu'il réprimait de moins en moins : « Salope ! Salope ! » Il la mordait, la meurtrissait exprès : alors elle recommençait à gémir, gonflant sa gorge, si bien qu'il ne savait si c'était d'avoir mal ou de jouir. Mais lui, quand il l'avait lâchée, une rage le reprenait bientôt de la serrer, de la meurtrir encore, d'épuiser dans ses bras il ne savait quelle souffrance ou quelle soif. Il était comme une bête en folie, plus pauvre et malheureux qu'une bête.

Il regrettait Souris, ses yeux indéchiffrables, sa dure maigreur de petite rebelle, et tous les souvenirs que lui eût rendus sa présence. C'étaient pourtant de mauvais souvenirs ; mais il saignait de leur arrachement, comme d'un lambeau de son passé. Plus il allait, plus il revivait en arrière. Il aurait bien voulu que quelqu'un l'y aidât. Souris partie, gagée sur ses instances dans une locature de Clémont, à trois bonnes lieues, il n'avait plus personne pour l'aider.

Il souffrait, ne trouvait d'apaisement que le jour, dans les bois. Les bouleaux de la Sauvagère, ses taillis de chênes pressés calmaient un peu la brûlure de son mal, le pansaient de leur fraîcheur nouvelle, de leur jeunesse retrouvée. Aux branches des bouleaux, les feuilles multipliaient leurs piécettes translucides, d'un vert tout doré de soleil. Dorées aussi étaient les feuilles des chênes, et dorées les crosses des fougères, feutrées d'un duvet délicat, si vite épanouies que l'œil suivait leur déroulement, et déjà, une à une, l'éploiement de leurs palmes, qui se joignaient, qui se touchaient, enfin étalaient sous les pins une nappe unie de clarté verte, suspendue au-dessus du sol comme en automne, le soir, la brume sur les prairies.

Les troncs des pins sylvestres étaient roses ; on voyait leur sang sous l'écorce. Et par les genêtières c'était un flamboiement, une gloire lumineuse confondant les grappes fleuries, dont l'odeur chaude-amère flottait au loin comme un pollen.

Le printemps s'avançait, déjà s'inclinait vers l'été. Des crépuscules ambrés planaient longtemps sur la campagne. Et quelquefois, quand le ciel était pur, une pâleur tiède, toute la nuit, glissait sous l'horizon du nord, joignait lentement le soir à l'aube.

Raboliot chassait toujours, car il fallait manger, colletait, furetait, posait des trébuchets. Les bois maintenant feuillus assourdissaient les bruits. Les lignes pures de la terre hivernale s'épaississaient de touffeurs bleues ; les plans s'étaient tout à coup rapprochés, l'espace comblé. Le ciel lui-même, d'un bleu lourd d'indigo, touchait la terre comme une main.

C'était sur Raboliot un contact plus étroit des choses, un enveloppement plus intime. Mieux caché par les feuilles innombrables, il se gardait moins anxieusement. Mieux nourri, maintenant que les girolles orangées, les boules de neige et les champignons roses poussaient par bandes sous les pins ou dans les clairières herbues, il lui arrivait de flâner, de suivre ses pas au hasard. Cela le surprenait et le désemparait : à mesure que le souci de sa provende relâchait sa terrible étreinte, qu'il se sentait mieux assuré de vivre, son découragement augmentait. Une inquiétude puissante et vague, une sensation de vide l'accompagnaient où qu'il marchât, l'entouraient d'un pénible vertige. Même s'il allait sans se presser, écoutant contre ses cuisses le sifflement des fougères entr'ouvertes, il avait l'impression de fuir, à moins peut-être qu'il ne cherchât : il ne savait, et cette incertitude avait quelque chose d'affreux.

Quand son angoisse se faisait trop poignante, il s'arrêtait, s'asseyait n'importe où ; et, tenant ses jambes embrassées, le menton posé sur ses genoux, il se pliait sur sa souffrance et tâchait de voir clair en lui-même : « Qu'est-ce que j'ai ? Qu'est-ce qui m'arrive ? Voilà que tout vient à mon allégeance, que chaque racoin des bois me cache, que les cèpes vont pousser sous ma main. Et j'ai un toit, une maison si je veux... Est-ce que j'ai crainte, des fois ? Est-ce que j'ai senti Bourrel ?» Il éprouva une stupeur, prononçant mentalement ce nom, à s'apercevoir tout à coup qu'il regrettait Bourrel comme il avait regretté Souris, que la présence de Bourrel, que sa méchanceté lui manquaient : « Allons ! Il n'y a plus de doute à cette heure : me voilà sûrement fou perdu. »

La chasse même ne l'intéressait plus qu'à peine. S'il lui arrivait à présent de trahir un lapin au taillis, assis sur son derrière et tirant vers son nez, à deux mains, une pousse neuve qu'il grignotait, son cœur ne battait pas plus fort, il ne se rasait plus tout soudain, comme un renard ou un chat à l'affût. Il continuait d'aller son lourd pas d'homme, écrasant les brindilles, ne regardait même pas la queue blanche qui fuyait au galop.

Tout ce qui entrait dans ses yeux, tous les visages des choses familières, et qu'il aimait, continûment accroissaient sa souffrance. Il se disait : « C'est des affaires à ne point comprendre : plus ça me plaît, et plus ça me fait peine. »

Les soirs le trouvaient amolli, l'entraînaient

dans leur flux comme une feuille sur un étang. Il y avait un moment, chaque soir, où la clarté solaire dormait étale sous les branches. Et venait un autre moment où elle semblait se retirer, s'incliner vers la plaine ainsi qu'une marée descendante. Il la suivait, il flottait avec elle. Aveugle, il flottait d'arbre en arbre ; il se laissait porter, endormi.

Il s'éveillait toujours à la lisière, devant la plaine. Il regardait éperdument l'ondulation des seigles mûrs, si hauts maintenant qu'ils lui cachaient le miroir clair du Chanteloup, semblaient frôler de leurs premiers épis les pins bleus debout sur l'horizon. Seules, quelques plaisses émergeaient, jalonnant l'étendue des champs.

Bientôt, on allait moissonner ; les faucheuses mécaniques allaient cliqueter au loin dans la campagne. Et ce serait, longtemps avant l'automne, un premier dépouillement de la terre, les lentes vagues des terrains réapparues sous les chaumes ras. Après que les genêts auraient perdu leurs fleurs, les grandes digitales fleuriraient, aligneraient au long des haies, dans l'ombre humide des fossés, leurs thyrses de clochettes écarlates. Les *gants de bargères!* La vieille Montaine disait, quand il était petit : « Ne les cueille pas, ça empoisonne le cœur ». Il les cueillait quand même avec les autres drôles, il s'en coiffait le bout des doigts, ou bien, les frappant sur sa paume, faisait claquer leurs fleurs une à une.

Et les bruyères aussi seraient fleuries : d'abord, sur les chemins des bois, les petites breuvèzes pourpres, et bientôt après, par les friches, les hautes touffes de la breumaille rose. Cela ferait des étangs roses, tendres, légers, au bord des genêtières éteintes. Le soir, ils rayonneraient d'un éclat chaud, d'une lumière profonde et secrète, comme les nuages sur le couchant ; ils exhaleraient longtemps, sous le ciel crépusculaire, toute la lumière qu'ils auraient bue pendant le jour.

Et les bouleaux, un matin de brouillard fondant, se montreraient chevelus d'or pâle. Les peupliers au bord de la Sauldre laisseraient glisser leurs feuilles jaunes sur les prés, sur l'eau rapide, blanche et glacée comme le ciel. Il y aurait à l'entour de leurs cimes des croassements rauques et voilés, des vols circulaires de corbeaux. Les fumées traîneraient bas sur les toits des maisons ; on respirerait, dans les jardins, leur aigre odeur...

Tout cela, et tant d'autres images devant les seigles de la plaine! Le vent tombait, ne creusait plus à travers les épis ces frissons vifs dont l'œil suivait au loin la course. Deux seuls épis, par intervalles, se frôlaient furtivement l'un l'autre, avec un froissement si délié qu'il semblait chuchoter des paroles. Raboliot n'était plus que ce froissement de deux épis ; il l'accueillait, il le reconnaissait dans tout son être. C'était ici seulement que deux épis se frôlaient l'un l'autre avec cette grâce sèche, un peu raide. Ils n'étaient pas bien lourds, vrais épis de Sologne ; entre les tiges clairsemées, on distinguait des flaques de renoncules...

Depuis toujours il écoutait ce chuchotement. Et cela s'amplifiait en lui, évoquait tour à tour la rumeur des pineraies inclinées par le vent, le clapotis des vaguelettes contre la chaussée des étangs, le grondement d'un œillard ouvert. La Sauvagère, Bouchebrand, les étangs et les arbres, tout était là, à sa place de toujours, et les vairons dans le ruisseau, et les grenouilles dans les joncs. Bête par bête, brin d'herbe par brin d'herbe, depuis sa toute petite enfance il avait appris ce pays. Avec plus de richesse tyrannique, les images le submergeaient. A mesure que déclinait le jour, sa songerie se faisait plus grave, plus recueillie : il commençait à sentir battre son cœur.

Il avait couru dans les prés, parmi les flouves et les phléoles tremblantes ; il faisait des balles de coucous ; aux places mouillées, c'était tout blanc de cardamines ; sur les pentes sèches, c'était tout rouge d'oseille sauvage. Sous les chênes du Beuvron, il avait trempé ses culottes, il avait pêché en *chavant*, les bras plongés sous les racines visqueuses : braconnier d'eau et pêcheur de grenouilles, avant de tendre son premier collet. Arriéze ! Comment n'aurait-il pas tendu ? C'était son père qui lui avait appris, son père encore qui pour la première fois l'avait emmené à la lanterne, une nuit qu'un équipier s'était trouvé malade et qu'il n'avait personne pour secouer le grelot.

Il avait quatorze ans peut-être. Il était bouère, près d'ici justement, à la ferme de Chantefin. Valets, charretiers, fermiers, des braconniers tertous ; comme les humains, les chiens à vaches braconnaient. Quand on est tout le jour aux champs, peut-on ne voir que son troupeau ? S'il n'y avait tant d'autres bêtes, on ne songerait pas à *le* faire : c'étaient les bêtes qui avaient commencé.

« Voilà ma vie, songeait Raboliot. D'un bout à l'autre j'ai fait pareil aux autres. J'ai grandi, je suis parti soldat. Et, quand j'ai eu fini mon congé, je suis revenu, et je me suis marié, pardi ! du moment que j'étais en âge... Qu'est-ce donc qui m'est arrivé ? Même pendant les années de guerre, je revenais en permission chez nous. Si longtemps que ça ait duré, on a pourtant touché le bout. Alors, je suis revenu tel qu'avant, une bonne fois, et j'ai recommencé d'aller au bois, d'abattre les sapins, de suivre les batteries, et de chasser pareil aux autres. Moi aussi, la vie coulant, j'ai eu, pareil aux autres, des enfants. »

Il en avait eu trois. Il les avait abandonnés. Chaque soir, à la même heure, quand refluait la lumière du soleil, il la suivait aveuglément. Et chaque soir un peu plus, la lumière dérivait vers l'est, l'entraînait vers la route de l'Aubette.

La première fois qu'il vit la route devant lui, il eut comme un éblouissement. Il sauta sur la chaussée pierreuse, et, sentant sous ses pieds son échine solide, regardant devant lui son allègre montée, il la suivit à découvert, sortit du bois en pleine clarté.

Un tintinnabulement de sonnailles l'arrêta : il aperçut une carriole d'épicier bâchée d'une toile noire goudronnée, dont le cheval grimpait la côte de Buzidan. Il recula lentement, un pas après l'autre, et rentra dans le taillis.

Le lendemain, ce furent les vaches de Boissinot, le chant du bouère qui les menait et les jappements brusques du chien. Et, le soir qui suivit, un roulement furtif sur la route, un grésillement feutré de poussière le firent se sauver tout à coup, l'haleine pressée et le cœur en suspens. Du fourré où il s'était blotti, il vit passer la bicyclette, l'homme incliné sur son guidon, un jeune gars qui poussait à toutes jambes, content de déployer sa force.

Et plusieurs soirs ce fut de même, une voiture de marchand, un fardier balançant des troncs d'arbres, la camionnette automobile du boulanger. À peine sorti du bois, il avait devant lui un vaste espace de plaine nue, deux ou trois kilomètres avant d'atteindre le canal et ses bouleaux. Il se couchait dans le fossé : il avait maintenant l'habitude. Il retrouvait en lui les mêmes élans profonds qui parcouraient sa chair, montaient vers ses épaules, et débordaient son être en lui glaçant la peau. Ce n'était plus bientôt qu'une ardeur continue, douloureuse, qui ne lui laissait point de trêve. Il regardait la route, sa chaussée d'ocre rose qui montait, descendait, filait d'un trait vers le canal, passait le pont et gagnait sa maison. Son corps pesait contre la terre, s'alourdissait comme s'il eût été de plomb. Son ventre et sa poitrine collaient à la jonchée des feuilles anciennes, enfonçaient leur empreinte dans la moiteur molle du terreau. Il restait là, rivé au sol par sa vie même, et sa vie cependant le tirait violemment ailleurs, le torturait comme d'un écartèlement.

« Je me suis marié, pareil aux autres... Et moi aussi, j'ai eu des enfants ». Il appelait, doucement d'abord, avec la crainte d'entendre la palpitation de sa voix, guettant avec un tremblement l'éclosion prodigieuse des mots : « Sandrine... Sandrine... » Ce nom était auprès de lui, ces autres noms qui l'entouraient, qui le touchaient, respiraient avec lui dans l'air tiède : « Edmond... Léonard... Sylvie... » Sa voix montait de l'un à l'autre nom. Il épiait le contour des syllabes, les découvrait, chacune, comme le modelé d'un visage : « Ah ! Sandrine ! »

Il y avait cette route, la même, de caillou en caillou courant vers sa maison, par chacun de ses grains de pierre unie à sa maison, là-bas. Tout droit ! Tout droit ! Il n'aurait qu'à courir sans rien voir, qu'à se laisser courir sur la route, avec elle, jusqu'à rejoindre sa maison, retrouver enfin toute sa vie, telle qu'elle s'était tissée depuis les jours de son enfance, depuis la Sauvagère et les prés du Beuvron, les taillis, les étangs, les pineraies, le pays merveilleux de ses chasses, jusqu'à Sandrine qui était sa femme, et ces trois petits qu'il avait...

« Pourquoi, mon gars ? Qu'est-ce qu'on t'a fait ? » Il les voyait comme au travers d'une vitre, si transparente ! La mince figure de Sandrine, un peu pâle, sa nuque ployante, ses yeux trop souvent tristes, il les voyait. Et vous voilà aussi, les drôles ? La tête ronde de l'Edmond, ses mollets larges, les prunelles noires du Léonard, sa finesse éveillée, les bérets bleus, les cartables jetés sur une chaise, il les voyait, et encore les menittes de Sylvie, ses frêles doigts tendus qui crochaient à même sa moustache. On ne croit pas que ça existe si fort, ce petit monde. On vit tout au milieu de lui, sans presque le voir, tant c'est simple. Et puis un soir, au bout d'une trop longue solitude, on retrouve ses enfants un à un, le vrai regard de leurs yeux vivants, la vérité de leurs petites personnes : et c'est quand on les a perdus.

La maison est au bord de la route, une vieille bâtisse à pans de bois en diagonale, entre lesquels les briques superposent leurs tranches rouges, roses, violettes. Contre la maie de merisier, l'horloge dans sa gaine hausse son cadran fleuri ; son balancier, derrière une vitre ronde, passe et repasse comme un soleil dans l'ombre. Quand Raboliot sortait de la maison, il ne regardait pas les choses. Pourtant, comme il a dû les voir !... S'il sortait à présent, il tournerait le dos au canal, il irait vers l'Aubette et le jardin du père Touraille. Les bambous, les aveliniers, les coudriers devaient clore les allées de leurs frondaisons serrées ; les saponaires, les gaillardes, les pieds-d'alouette mêler leurs fleurs aux rives des plates-bandes, les lippes de côs d'Inde laisser pendre leurs quenouilles pourprées. « C'est moi, popa! C'est Raboliot! » Il entrerait, baigné une seconde, au passage, par le rayonnement chaud de la façade, dans un vrombissement d'abeilles. Il respirerait l'odeur familière, l'odeur des bêtes et des pots à colle, mêlée à celle des pipes que fumait le bonhomme. Voilà les grands hérons sur la table, les chavoches rangées au bord de la commode, les écureuils sous la charmille, le baromètre, le bal chez Coubaillon !... Dans les boîtes de carton, Raboliot triait les yeux de verre. Le vieux contait l'histoire du rossignol et de l'anvot, celle du diamant bleu des serpents. Et Norine était là, tricotant près du petit fourneau, hochant la tête et disant : « C'est ben vrai ».

La route, dehors, descendait vers le bourg. Raboliot suivrait encore la route. Il ferait un soleil de midi. Il passerait sur la place, au pied de l'église encapuchonnée d'ardoises, dans l'ombre du vieux marronnier. Et il dirait bonjour aux gens : « Alors, gars, ça va comme tu veux ? — Ça va ben, gars ! Ça va toujours ! » Toutes les boutiques se toucheraient, à leur place. Chez le marchand de bicyclettes, les lanternes brilleraient derrière la devanture ; à la porte du bureau de tabac, des journaux pendraient à des ficelles, contre des gaules de bambou en faisceau. Et l'on verrait, du seuil de cette autre maison, couler la Sauldre. « Te voilà, petit ? » La vieille Montaine n'aurait pas bougé de sa chambre. L'image de la bergère serait toujours au mur, le crucifix, le rameau de buis sec. Il répondrait depuis la porte : « Moman... Je suis venu vous embrasser ».

Alors, comme tout serait facile ! Et quels coups de cognée au pied des maritimes, quels copeaux, plus larges que la main ! Il aurait caché son fusil, pas bien loin... Qui est-ce qui se plaindrait, le soir, quand il allongerait sur la table, devant Sandrine et les petits, un grand bouquin aux yeux déjà ternis ? « C'est un lieuve ! Puisque je vous l'avais promis ! » Il serait Raboliot toujours, baucheton et braco de Sologne. Il rentrerait chez lui le soir, sa journée faite, avec la monnaie dans sa poche et le gibier dans sa musette. Et si la lune, brillant dans la nuit avancée, venait toucher la porte vitrée du jardin, qui est-ce qui l'empêcherait de se lever doucement du lit, de siffler Aïcha et de partir avec elle au grillage ?

Les hommes s'en vont, c'est l'habitude. Ils sont toute la journée dehors, et quelquefois encore à la noirté. Qu'est-ce que ça fait, puisque leur maison les attend, puisqu'elle est toujours à sa place ?... Tout était resté comme toujours, de pas en pas au long de la route et des rues, à partir de cette lisière de bois ou Raboliot se tenait couché.

Il y avait toujours cette plaine où s'élançait la route, si vaste, si nue, infranchissable. Attendre la nuit ? L'espace est plus dangereux encore, avec ses embûches inconnues. Entre les bois et le canal, dès le seuil de la plaine, il y avait les yeux de tout le monde, toutes ces oreilles tendues aux bruits, et toutes ces langues qui vont parlant : « Vous savez, le gars Raboliot, on l'a vu... » Et Bourrel entendrait, et il se mettrait en campagne.

Dès le seuil de la plaine, Bourrel se tenait aux aguets. Contre l'élan qui soulevait Raboliot, Bourrel bloquait son vouloir et sa force, ses rancunes amoncelées, son uniforme, ses tribunaux et sa prison. Comme autrefois, mais avec une netteté plus brutale, de soir en soir plus simple et plus terrible, le braco se heurtait à l'image de Bourrel.

« Va, Raboliot ! » C'était ainsi qu'il se parlait, naguère. Maintenant ça n'était plus la peine : tout son cœur bondissait vers là-bas. Il se voyait au delà de la plaine, du canal à sa maison, de sa maison à l'Aubette et au bourg, faisant les pas qu'il avait mesurés, chaque pas le situant à sa place, parmi les hommes et les heures de leur vie. Sandrine faisait des ménages, Touraille empaillait des oiseaux, Montaine priait et Norine tricotait ; même l'Edmond, même le Léonard allaient à la petite école. Et tous les autres allaient, venaient, à leur place, le boulanger cuisant la nuit, roulant le jour ses pains dans sa camionnette, Trochut servant à boire le jour, et recevant la nuit les chasseurs de lapins dans son arrière-boutique. Tout se tenait, battait un rythme doux, sans heurt, ainsi qu'un mouvement d'horloge entraîné par ses poids de fonte. C'était, en vérité, comme un prodige éternellement nouveau, une humble fête qu'il regardait de loin, chassé d'elle, et qui ne l'accueillerait plus.

« Qu'est-ce qu'on t'a fait ? » Tout avait commencé chez Trochut, avec ces coups lancés dans la porte. La porte avait claqué, grande ouverte ; et Raboliot avait filé, bousculant Bourrel au passage. A chaque étape de son exil, c'était Bourrel qu'il retrouvait. Depuis l'alerte de l'auberge, il reconstruisait toute sa vie, l'expliquait à sa propre pensée avec une logique de plus en plus simpliste et roide : il avait continué d'être ce qu'il était, sans se charger d'un acte malhonnête, sans se risquer à une crapulerie, par exemple voler des faisans en parquet, comme certains pas grand'chose n'hésitaient point à le faire. Puisque toute cette misère s'était abattue sur ses reins, il fallait bien que quelqu'un l'eût jetée.

Une voix lui avait dit : « Va-t'en ! » Dure et musclée sous le dolman, l'épaule de Bourrel le poussait, le chassait : « Va-t'en de ta maison, va te cacher ailleurs, chez Touraille, si tu veux... Et de cette autre maison, va-t'en ! Je te rejette au bois, vers Bouchebrand, la

Sauvagère, avec un coup de botte à ta chienne. Tu l'aimais, la petite noire? C'est bien pour ça que je l'ai tuée. Même de cette compagnie fidèle, de cette tiédeur à ton côté, va-t-en ! Et je te chasse des bois enfin, au delà du Beuvron, plus loin, toujours plus loin de ton pays, jusqu'au seuil de cette grande vallée inconnue... »

Arriéze ! Raboliot s'était arrêté là. Il était revenu et revenu encore, jusqu'au Beuvron, jusqu'à la plaine, à toucher la route de l'Aubette. Il sautait debout sur la route, torturé du désir d'avancer. Il songeait avec véhémence : « Ah ! qu'il me voie, et que je le voie ! Ça ne peut plus durer comme ça ! Puisque c'est entre lui et moi, qu'on se retrouve, et qu'on en finisse un bon coup ! » Volat qui était en prison, Tancogne vieillissant et malade, Souris gagée au loin, les saint Hubert toujours en route, ils n'étaient plus que des comparses, de vagues alliés dont Bourrel s'était servi. La volonté, c'était Bourrel. Le responsable, l'ennemi, c'était Bourrel.

Raboliot maigrissait, ravagé par l'idée fixe. Ses yeux brillaient d'une fièvre un peu hagarde ; un cerne les creusait, brun sombre, accentuant leur fixité. Souvent, il courait par les bois, poussait jusqu'aux prés de la Sauvagère, derrière la maison de Firmin. Il rôdait alentour, regardant de loin, dans le chenil, la tache jaune que faisait Dévorant allongé devant sa niche ; le vieux Pillon, d'un gris de cendre, tournait sans hâte au bout de sa chaîne. Le braco se glissait à travers des genêts serrés, suivait, entre leurs touffes plus hautes que lui, de petits sentiers qui sinuaient. Il reconnaissait, par terre, les empreintes cloutées qu'avaient marquées dans le sol moite les semelles de Tournefier. Il touchait, au bout du jardin, le grillage de la clôture. Parmi les salades et les choux, des pouillards déjà gros trottaient autour d'une mère poule.

La première fois que Dévorant l'avait flairé, ç'avait été un tel charivari, les trois chiens aboyant à pleine gueule, qu'il s'était enfui dare-dare. Il était revenu pourtant. Il revenait chaque jour, avec l'espoir que Firmin le verrait. Maintenant, il voulait voir Firmin ; il se raccrochait à cette pensée, se soutenait de cette conviction : « Le faut ! Le faut ! » A la pique du jour, quand Tournefier sortait de sa maison, Raboliot était là, caché dans la genêtière contre la clôture du jardin. Le garde emmenait toujours Dévorant. Sur le seuil de la porte il allumait sa cigarette, et regardait autour de lui, la mine préoccupée. Raboliot comprenait pourquoi Tournefier regardait ainsi : il devait l'avoir deviné, il devait le savoir tout proche. Alors il se défiait, soucieux d'éviter la rencontre.

Comment faire, malheureux? Firmin avait raison, bien sûr. Pareille rencontre devant chez lui, ça n'était vraiment pas possible : il fallait avoir la tête perdue pour s'obstiner dans cette folie. Raboliot s'obstinait, plus audacieux à se montrer. Il se disait : « Je ficherai une boulette au grand chien. Une fois qu'il sera crevé, Tournefier avec Pillon tout seul, je marcherai carrément sur le gars... A moins que je m'amène une nuit, une nuit bien noire, secouée de vent, et que j'aille toquer à sa porte. Mais il demandera « qui est là ». Et alors? Que je réponde, que je me taise, c'est trop certain qu'il ne m'ouvrira point... Peut-être, aussi, que je pourrais l'attendre sortir, la nuit toujours, quand il part en tournée. Mais il ne va point seul la nuit : c'est un garde de Tremblevif, c'est un garde du Bois-Sabot, toujours quelqu'un qui l'accompagne à l'habitude... Ah! bon Dieu, qu'est-ce que je vas faire? »

Il passait à présent par des crises d'accablement glacé, qui le tenaient des heures assis au pied d'un arbre, les yeux vides, ou bien vautré contre terre à plat-ventre, sans un mouvement et semblable à un mort. Cela durait jusqu'à ce que la fièvre lui brûlât de nouveau toute la chair, lui emplît le cerveau d'un grondement rouge d'incendie. Alors il se dressait, comme un dormeur sursaute dans un cauchemar, et il disait tout haut : « Quoi, quoi,

Bourrel ? Je lui ai bien déjà cassé la gueule ! »
Et il repartait par les bois, de la route de l'Aubette au logis de la Sauvagère.

Tournefier l'avait vu, il en avait la certitude. Et bien d'autres que Tournefier, sans doute. Le bruit de son retour devait courir d'une ferme à l'autre ; les bauchetons qui passaient à Bouchebrand devaient l'avoir répandu par le bourg. Et tant mieux donc ! C'était quelque chose d'arrivé, un pas avancé quelque part, vers des événements inconnus, mais un pas, mais déjà un espoir d'évasion, à tout risque et à tout prix ! Tournefier pouvait avertir Bourrel, s'il le voulait. Qu'il l'avertît du moins tout de suite, que cet enfer ne durât plus !

Les jours passaient ; Raboliot se calmait un peu. Le sentiment s'imposait à lui que Tournefier ne dirait rien, puisqu'il n'avait rien dit encore. Et le désir de rencontrer le garde le posséda de nouveau tout entier, aussi fort, mais plus raisonnable et lucide. Il réfléchit, chercha, et ne tarda pas à trouver.

Un matin, à pointe d'aube, il découvrit en lisière d'un fourré une charogne étalée dans l'herbe. Elle était aplatie de telle sorte qu'il vit bien au premier regard qu'un fauve de forte taille s'était roulé sur elle. Il s'approcha, déchiffra les abords. Le drame s'y inscrivait en traits violents : autour de la charogne, la terre avait été dénudée, labourée profond par des griffes, bouleversée par des soubresauts forcenés. Un taillat [1] de chêne, à côté, montrait des traces de morsures, toute l'écorce arrachée jusqu'à deux pieds du sol, l'aubier haché par les sillons des dents, déchiqueté, entamé jusqu'au cœur. C'était à ce taillat que Tournefier avait fixé son piège : Raboliot retrouva tout de suite la marque en bracelet qu'avait creusée le fil de fer. Firmin n'avait pas bien choisi, l'arbuste était trop gros déjà, trop résistant. Au lieu de céder souplement à chaque effort de la bête captive, il avait tenu raide, il avait aidé le fauve. Et bandant tous ses muscles, bondissant de droite et de gauche, tordant le fil de fer d'attache, le fauve avait fini par le rompre, s'était sauvé, traînant le piège.

Raboliot suivit la trace. C'était facile : l'engin pesant avait couché les herbes, éraflé les taillats au passage. Cruellement empêtré, le fugitif avait cherché les éclaircies. Il devait perdre pas mal de sang ; des gouttes rouges, encore fraîches, tachaient les feuilles mortes. Cent mètres, cent cinquante mètres, Raboliot fit le pied. Une admiration lui venait pour l'énergie de l'animal, peu à peu une pitié obscure. Un renard, bien sûr, un adulte.

1 Petit arbre de taillis.

Fallait-il qu’il voulût vivre, qu’il eût la vie chevillée creux ! La trace s’alourdissait, les gouttes rouges se faisaient plus serrées, disparaissaient dans un fossé, sous les ronces. Raboliot franchit le fossé, examina le sol, ne découvrit plus rien. Alors, il sortit son couteau, trancha un gourdin de bois vert, pas trop long, lourd de sève, dont il écarta les ronces, pas à pas.

Le renard était dans le fossé, étendu sur le flanc, les côtes soulevées d’un halètement précipité : un mâle de l’an passé, magnifique, gros de corps et de poil brillant. Le piège l’avait saisi par derrière, refermant ses mâchoires sur la patte gauche, un peu au-dessous du jarret. Un os brisé perçait la chair, aigu et blanc, mais les tendons avaient résisté. Dans l’aube presque froide, le sang répandu sous la bête, la sueur qui trempait sa fourrure exhalaient une fumée légère. Lorsqu’elle vit l’homme, elle rasa les oreilles, trop épuisée pour faire front ; un hérissement courut dans les poils de son cou, un rictus découvrit ses crocs, éclatants sous les babines noirâtres. Raboliot, d’un coup de gourdin sur le crâne, l’assomma. Et il s’assit tout auprès d’elle, au fond du fossé broussailleux.

Le hasard l’avait bien servi. L’endroit était secret et sauvage, loin des allées, des sentiers d’agrainage. En soulevant un peu la tête, il découvrait à travers le taillis la piste qu'il avait suivie. Quand Tournefier viendrait, la suivant à son tour, Raboliot le verrait d'assez loin, choisirait son moment pour se lever tout à coup devant lui.

Il n'attendit pas longtemps. Le bruit d'un pas d'homme lui parvint avec l'odeur d'une cigarette. Tournefier avançait sans méfiance ; il chantonnait, tout doux, entre ses dents.

— Tiens ton chien, Firmin! Empêche-le!

— Couche, Dévorant !

D'instinct, le garde avait raidi la laisse, arrêtant l'élan du molosse. Raboliot se tenait tout droit, debout au milieu du fossé. Il dit d'une voix absente, avec des lèvres qui tremblaient :

— Le renard est là-dedans... C'est une rude bête...

Et tout à coup, dans un grand cri :

— Écoute, mon gars... Ah! reste un peu!

Tournefier, à un arbre, attacha Dévorant. Le cri de Raboliot, l'accent dont il l'avait poussé l'avaient ému jusqu'aux entrailles. Il le regarda, si changé, hâve et maigri, la face mangée de poils. Et il lui dit avec douceur :

— Mon Raboliot, qu'est-ce que t'as fait?

Raboliot sortit du fossé et demeura sur le bord, sans bouger. Il regardait lui aussi Tournefier, avec des yeux immenses, pleins d'une stupeur de découverte. Ses lèvres continuaient de trembler. Il balbutiait, presque tout bas :

— C'est toi ! C'est ben toi !... Arriéze, est-ce que c'est Dieu possible?

Plus bas encore, d'une voix si écrasée d'angoisse que Tournefier la distinguait à peine, il demanda :

— Et Sandrine? Et les drôles ? Et tous ceux-là... comment qu'ils vont?

— Ils vont bien, dit Tournefier.

Il ne dit que ces mots, et vit tout aussitôt la poitrine du braco se soulever fortement sous ses hardes, une rougeur lui monter au visage... Brusquement, Raboliot sanglota.

Il sanglotait à grands sanglots qui lui secouaient les épaules au passage, qui jaillissaient de lui longuement, et revenaient toujours, l'un, puis l'autre, réguliers et profonds, ébranlaient tout son corps comme les coups d'une cognée un arbre.

— Mon gars !... Mon gars !...

Tournefier était près de lui, qui venait de s'asseoir sur la pente du fossé, les coudes sur ses genoux et le front dans ses mains, et sanglotait toujours, brisé, le dos fléchi, toute sa force coulant avec ces longs sanglots. Le garde, de son bras, avait ceint les épaules misérables. Il ne trouvait plus rien à dire, bouleversé par ces secousses violentes dont il sentait contre lui la montée, qui renaissaient sans trêve, avec la même terrible véhémence. Il songeait : « Voilà une vraie pitié... Une chose pareille... Le pauvre gars, il a dû en voir !... » Jamais il n'aurait cru qu'un homme pût pleurer de telle sorte.

Et Raboliot, enfin, se prit à parler : des mots sans suite, qui passaient à travers ses sanglots :

— J'en ai vu ! Ah ! j'en ai vu !... Comprends, Firmin : t'es le premier... Depuis des mois, je n'avais personne... C'est bien toi qu'es là, pour de bon... Et tu vas t'en aller, je ne t'empêcherai pas ; faut pas qu'on te voye avec moi, je ne veux pas te faire du tort, à toi... Mais reste encore un peu, pas longtemps... Ah ! mon Firmin, si tu savais !

Et il disait encore :

— Ils vont bien... Ils sont toujours dans la maison... Ainsi... Et moman ? Et Touraille ?... Cause-moi d'eux, Firmin, dis-moi tout... Voilà des mois que je ne durais plus !

Et Tournefier lui dit ce qu'il savait, presque tout : « Chez Raboliot, à l'Aubette, chez Montaine, il n'y avait quasi rien de changé. Les santés n'étaient point trop mauvaises. Personne n'était bien gai, c'était vrai. Mais depuis le coup de falot, depuis... le malheur, tout s'était arrangé pour les autres bien mieux qu'on aurait pu le croire. *On* avait plaint Sandrine. *On* avait bien compris qu'elle n'était pas fautive dans ce qui était arrivé. Des gens l'avaient aidée : elle avait retrouvé des ménages, chez M. Bergeron, chez le docteur ; et la maison marchait, comme elle pouvait, pardi ! mais elle marchait. »

Raboliot l'écoutait, immobile. Ses mains, ayant abandonné son visage, pendaient maintenant entre ses genoux ; il fixait sans les voir des feuilles de ronce devant ses yeux, les épaules parcourues encore de grands soupirs entrecoupés. Parfois, la voix humble et docile, il approuvait d'un mot les paroles de Tournefier : « Ainsi !... Elle n'était pas fautive, sûr que non... On l'avait plainte... Dieu merci, le monde n'était pas tous méchants... »

Tournefier s'arrêta, incertain. Il s'écarta un peu de Raboliot, le vit calmé, presque paisible. Alors il demanda :

— Et toi, mon gars, qu'est-ce que tu vas faire ?

Raboliot le regarda, souleva ses deux mains, à peine, les laissa retomber mollement :

— Est-ce que je sais, Firmin ?

Il était à présent pareil à un enfant. Il se confiait à cet homme vigoureux :

— Dis-le moi, je t'obéirai.

Le garde détourna les yeux, parla très vite, avec une gêne grandissante :

— Faut t'en aller, faut quitter le pays. Ça n'est pas pour moi que je te dis ça : me voilà près de toi, à t'écouter, preuve que je ne te veux point de mal... C'est pour tout le monde que je le dis, pour les ceusses de là-bas, et pour toi aussi, Raboliot. T'en as déjà trop fait : te laisser voir comme tous ces jours, c'était déjà une mauvaise chose... Depuis longtemps je voulais te le dire, je voyais bien que tu n'étais pas dans ton état naturel... C'est comme tes passages à Bouchebrand. Là encore, tu n'as pas eu raison : tout le monde était au courant, même ceux-là qui n'auraient pas dû le savoir. Je ne peux pas t'expliquer mieux... Tu t'es sauvé, parce qu'il le fallait. Et il a bien fallu aussi que les autres s'arrangent sans toi. Ils se sont arrangés, tu vois. Et tout va comme ça peut, doucement. Mais si tu reviens t'en mêler, tout va se détraquer encore... Tu dois comprendre : dans le fond, tu es un bon gars. Plus tard, qui peut savoir ?... C'est trop près, Raboliot, trop à vif ; c'est comme un feu qui couve encore. Laisse-lui le temps de s'éteindre, va-t-en... A force de passer, peut-être que les jours endormiront le mal qui est fait.

Raboliot inclinait la tête, fixant toujours d'un regard vide les feuilles de ronce devant lui. Sans bouger, toujours de la même voix docile, mais où tremblait à présent une prière :

— Je m'en irai, Firmin, je m'en irai... Mais faut que je les voye, avant.

— Qu'est-ce que tu dis ? s'écria Tournefier.

Raboliot répéta :

— Je veux les voir... Après comme après,

n'est-ce pas? Je m'en irai, je te promets... Seulement, je veux les voir avant. Sandrine, les drôles, je veux les voir.

Il sembla s'éveiller, ses yeux brillèrent, il eut sur le visage une espèce de sourire immobile. Tournefier, devant cette face d'illuminé, sentait la vanité de tous les mots qu'il pourrait dire, et dans le même instant une colère lui venait, une révolte de brave homme contre son impuissance. Il prononça, presque rudement :

— Voilà encore une pauvre parole ! Tu veux, tu veux... Est-ce que tu es seul à vouloir? Est-ce que tu as le droit de commander? Et s'ils ne veulent pas, eux? S'ils sont toujours montés contre toi?

— Oh ! je sais bien, murmura humblement Raboliot : elle doit être montée, c'est sûr. Elle a raison. Si je l'avais mieux écoutée... Mais faut que je la voye, Firmin, et les trois petits avec elle. Je ne leur dirai rien, sois tranquille ; je ne me montrerai même pas. De loin, comme ça, je les verrai passer...

Il parlait sur un ton monotone, les regards de nouveau perdus, avec la mine d'un homme qui rêve :

— Tu leur dirais de venir, un dimanche. Tasie serait contente de les voir. Et ils viendraient... Vous sortiriez dans le jardin... Moi j'aurais attendu, caché dans la genêtière. Et je resterais là, sans bouger. Je les regarderais tous les quatre. Sandrine causerait avec Tasie, je l'entendrais ; et peut-être qu'elle viendrait à sourire... Les drôles, eusses, ils courraient, les deux garçons, et même Sylvie qui doit déjà trotter toute seule... Tu n'oublieras pas, dis, Firmin : tu lui diras surtout qu'elle amène Sylvie avec elle.

Il soupira longuement. Sa voix se fit plus basse et plus rauque :

— Et puis après, je m'en irai. Je te promets de m'en aller, de me cacher pour eux, pour vous tous, après... Non, ne dis rien, mon gars, c'est pas la peine. Personne, personne pourrait avoir le cœur de me refuser ! Cause-s-en à Tasie : tu verras qu'elle dira comme moi. Qu'elle aille trouver Sandrine, qu'elle lui demande de venir un dimanche. Et sa réponse, je l'attendrai : tu me porteras sa réponse, Firmin.

— Et le pouvoir? dit Tournefier. C'est bien trop déjà, Raboliot, de t'avoir rencontré cette fois. Tout le mal que j'en pourrais avoir...

— C'est vrai, dit Raboliot. Je suis comme un maudit.

Il réfléchit quelques instants, regarda le fossé à ses pieds, et soudain :

— Voilà ma dernière parole, écoute-moi : ici, tu vois, dans le fossé, sous les ronces, je vais creuser un trou, avec des pierres sur le côté pour que le sable ne coule pas. C'est là que tu mettras la lettre.

Il descendit, fouilla la terre avec ses mains. Et il disait, tout en travaillant :

— Tu te rappelleras bien l'endroit, pas vrai ?... Compte tes pas depuis le pied de châtaignier... Je remettrai les ronces par-dessus, personne ne pourra rien y voir... Je passerai tous les jours au matin, rien qu'une fois, vers les sept heures. Bouchebrand ? On ne m'y verra plus : voilà deux grandes semaines que je n'y suis allé ; j'en ai dégoût... Tout le reste du temps, je serai loin, par Tremblevif, ou dans les taillis du Chamboux... Tous les matins, mon gars, rappelle-toi : sur les sept heures...

Tournefier, debout hors du fossé, le regardait fouir la terre de ses ongles, le cœur serré.

III

Le matin où Raboliot trouva la lettre, il ne l'ouvrit pas tout de suite. Il traversa dans sa largeur le bois de la Sauvagère, et gagna la route de l'Aubette avec l'enveloppe dans sa main.

C'était un matin de juillet, ruisselant à l'infini d'une lumière splendide et sèche. Le soleil déjà haut avait brûlé toute la rosée ; l'espace n'était qu'un flamboiement limpide, sans une trace de brume, sans un nuage.

Quand Raboliot toucha presque la route, qu'il put la voir s'allonger sur la plaine, il déchira l'enveloppe et déplia la feuille. C'était une feuille quadrillée de lignes bleues, comme on en trouve dans l'éventaire des colporteurs ou dans les toutes petites épiceries de campagne. L'écriture n'était point de Tasie ainsi qu'il s'y fût attendu ; elle était de Sandrine elle-même.

« Je bénis Dieu, écrivait Sandrine, que Tasie soit venue à la maison. Je ne sais pas où tu recevras ma lettre, et j'aime autant ne pas le savoir, parce que je n'irais sûrement pas. Le principal est que tu la reçoives, et que tu lises les choses que je voulais te marquer. C'est pour te dire que je ne te connais plus. Ce que j'ai souffert par ta faute, c'est une chose abominable. En remontant depuis le commencement, j'ai pu pleurer, te supplier, rien n'y faisait : fallait que tu y retournes quand même. Et je voyais bien que ce serait à ta perdition et à la nôtre, mais j'avais beau le voir et te le dire, rien n'y faisait. A force de se manger les sangs, il vient une heure où on en a assez. Papa aussi te l'a bien répété : on y engage un doigt, et tout le bonhomme y passe. Et c'est ce qui est arrivé, et nous avec. Heureusement que tout le monde n'est pas comme toi et que nous avons pu nous en sortir. C'est comme après ton procès au collet, au lieu de payer l'amende ou encore de te livrer pour faire la peine que tu avais méritée, Monsieur fait l'orgueilleux et refuse de se livrer, ça fait bien auprès des filles. Il y a des hommes qui se livrent, un coup qu'ils ont eu le malheur d'être pris, avec des entrailles de père. Mais toi, tes enfants, tu t'en fiches, l'Assistance peut bien s'occuper d'eux, et leur mère pareil, tu t'en fiches, pauvre Sandrine ! Ce que j'ai pu souffrir et pleurer jour et nuit ! La belle avance ! Et tu te caches de moi et tu y retournes encore, avec des hommes qui sont en prison. Et quand tu es pris encore, au lieu d'accepter ton sort tu ne veux toujours pas, glorieux, et tu tires sur des hommes, et tu n'as même pas peur d'assommer à moitié avec ta crosse un homme bien estimable qui faisait son devoir, lui au moins. Tout le monde n'est pas si mauvais qu'on le croit, je m'en suis aperçue, et on se trompe sur le compte des gens. Je me suis bien trompée sur toi aussi, avec toutes tes belles paroles que tu voudrais bien ne plus le faire, enjôleur, je ne me doutais pas que c'était des menteries. Mais maintenant je l'ai bien vu, pour mon malheur. Dire que j'ai tremblé pour toi ! Tu t'es sauvé, et je te voyais au loin à pâtir de la faim, de la froid, sans maison. Et pendant ce temps-là, tu revenais traîner par ici. Et moi je me débrouillais comme je pouvais, je m'en tirais à m'user tout le corps, à travailler pour gagner mon pain et celui des enfants, les anges ! Mais toi tu revenais faire tes coups dans le pays et tant pis si le mépris des gens vient retomber encore sur ta famille ! Aussi tu peux retourner à Bouchebrand, c'est bien la femme qu'il te faut, une traînée qui va avec tout le monde, une femme de mauvais gars, ça va ensemble avec un assassin, autant dire. Tu en avais assez de nous, faut croire, pour chercher une autre famille à ta convenance, Milorioux en prison, Volat en prison, de jolis gars, et bientôt à ton tour comme ton père. La pauvre vieille, elle est à plaindre ! Son mari d'abord, et son garçon qui finira pareil ! Ah ! Raboliot, si tu étais resté à la guerre, je pense que ça aurait mieux valu. C'est triste d'en arriver à dire des choses pareilles, mais sûrement que ça aurait mieux valu. Et papa le dit bien aussi. Voilà que je t'en ai marqué bien long, mais c'est plus fort que moi, fallait que je te dise tout ce que j'avais sur le cœur, surtout depuis que tu es revenu à Bouchebrand. Si tu as encore un peu de cœur, il faut nous laisser en paix. Je n'ai pas trop de force pour les enfants : les pauvres petits anges, orphelins de leur père à présent ! Laisse-nous, Raboliot, je ne suis pas déjà si vaillante. A bien fallu se passer de toi, et Dieu aidant on y a réussi. Que Sa volonté soit faite! Et qu'Il me donne la grâce de t'oublier tout à fait. Pour toi je pense que ça t'est bien égal, tu l'as prouvé, tu as voulu ton mal, mauvais gars. Je t'embrasse bien quand même, ça sera la dernière fois, par pitié pour nous ! C'est malheureux quand même d'en arriver à dire que je te voudrais comme mort... Enfin!

« Celle qui n'aura pas trop de toutes les heures de sa vie pour regretter de t'avoir connu. »

Raboliot avait lu d'une traite. Ses doigts, qui tout à l'heure tremblaient, avaient cessé tout à coup de trembler. C'était inconcevable à tel point, cette lettre, qu'il n'éprouvait même pas de colère. Une lettre de Sandrine, ça? Toutes ces phrases monstrueusement injustes, c'était Sandrine qui les avait écrites, chez eux, au coin de la table massive, près d'une bougie dont la flamme dansait?

Rien que cette lueur dans la salle obscure, et tout autour l'ombre vivante où battait la grande horloge, où respiraient les drôles endormis... Sandrine avait sûrement écrit la lettre, puisqu'au travers des lignes Raboliot l'avait reconnue : mais une Sandrine changée, contrainte, comme si quelqu'un lui eût tenu la main. Et elle se débattait, oubliant par instants la leçon qu'on lui avait apprise, avec de pauvres mots qui venaient de son cœur, qui résonnaient comme sa vraie voix.

Elle était bien ajustée, cette lettre, par chacune de ses lignes le poussant à l'écart, l'abaissant, le rejetant. Elle n'affirmait rien qu'il pût nier. Tout le mal qu'elle lui reprochait, il l'avait réellement accompli : il avait tiré sur des hommes, au pont de Malvaux ; sur le crâne de Bourrel, il avait abattu sa crosse ; même pour les saletés de Bouchebrand, la lettre disait la vérité. Regarde ton portrait, Raboliot ! Cet homme-là, ce vilain gars, c'est toi : mauvais père, bourreau des tiens, une honte, une malédiction pour les braves gens de ta famille... C'était vrai. La vérité s'inscrivait aux pages de la lettre, comme un reflet fidèle dans un miroir qu'on eût tendu devant sa face. Une belle image à montrer au monde ! Essayez voir, et demandez aux gens qui passent : « Ce méchant gars, cette crapule, qui c'est? » Et tout le monde, bien sûr, vous répondra : « C'est Raboliot ».

Oui bien, c'est Raboliot. Raboliot qui s'avance sur la route de l'Aubette, et marche par la plaine devant les yeux de tout le monde. On fauche les seigles par la plaine ; un peu partout, il y a des hommes dans les champs. Sur la pente qui s'incline vers l'étang de Buzidan, toute l'équipe de la ferme moissonne. Raboliot va, sans même se rendre compte de tous ces regards qui le suivent. C'est grand jour à présent. Le soleil darde des rayons éclatants, rejaillit sur la route, en poussière d'or qui longuement ondule ou vibre. Raboliot marche dans ce flamboiement. Sa silhouette y détache tous ses gestes, noire et déliée, ajoutant ses pas à ses pas. A la bonde de l'étang, le fermier Boissinot est sorti des petits saules, portant un seau où il avait mis des bouteilles à fraîchir. Il a fait un pas en arrière comme pour se cacher sous les branches, ou peut-être seulement à cause de sa stupéfaction. Raboliot l'a bien vu, mais il est passé devant lui sans même avoir tourné la tête.

Et il a vu, sur les Communaux, d'autres faucheurs qui travaillaient. Au pont du canal, il a dû s'écarter un peu, pour laisser place à la camionnette du boulanger ; dans le virage qui suit le pont, à la descente, la camionnette a pris plus large que de coutume, et ses deux roues de gauche ont laissé un sillage dans l'herbe de l'accotement. Si Raboliot s'était retourné, il aurait remarqué qu'elle s'arrêtait un peu plus loin, et que le boulanger se penchait au dehors, bientôt rejoint par les faucheurs des Communaux.

Il ne s'est aperçu de rien, tout à ses pas, tout à sa marche sur la route. Au premier coude après le canal sa maison lui est apparue, juste dans la seconde où il s'attendait à la voir. Il lui aurait semblé rentrer ainsi qu'à l'ordinaire, n'eût été l'heure inhabituelle. C'était tout simplement comme s'il eût oublié quelque chose, et qu'il fût revenu du travail, un peu vite, pour réparer l'oubli qu'il avait fait, pour remettre les choses en ordre. A dix mètres de sa maison, une volée de poussière a couru sur la route dans un ronflement de moteur. Il a songé vaguement : « Le boulanger n'a pas été bien long par là ». Et il a fait ses derniers pas, il a poussé la porte de chez lui.

IV

Elle était devenue toute blanche, les yeux rivés au visage de l'homme et serrant sa poitrine à deux mains. Elle était trop bouleversée pour prononcer une seule parole. Ce fut Raboliot qui dit en arrivant :

— Te voilà... Te voilà, Sandrine.

Il avait refermé la porte et s'était avancé un peu, sans toutefois aller jusqu'à elle. Elle devait ravauder, assise sur une chaise basse près de la porte du jardin. Quand Raboliot était entré elle s'était levée d'un sursaut, et n'avait plus bougé, toute droite ; mais il sentait en elle une détresse panique, à la fois un élan vers lui et un désir violent de le fuir, de s'échapper en se cachant les yeux.

— N'aie pas peur, lui dit-il. Je ne suis pas venu pour crailler et pour commander... Je suis venu pour que tu me redises ce que tu m'as marqué là-dedans, — et il montrait la lettre dans sa main, — pour être sûr, pour que ce soit bien toi qui me chasses...

Elle ne répondait toujours pas. Dans les

rectangles de soleil qui des fenêtres tombaient sur le carreau, on voyait danser des poussières et s'allumer des vols de mouches. Et il y eut, à travers le silence, l'éclat d'une petite voix jasante, un cri de gaîté fraîche qui traversa Raboliot tout entier.

Il n'avait pas vu la drôline en entrant. Elle était liée au *tourniquet*. Une attache de chiffon, nouée sous ses aisselles, la maintenait à la perche pivotante qui des solives joignait le carrelage. Et Sylvie tournait tout autour, abandonnant son petit corps, les jambes gourdes, une cuiller de bois dans la main.

— Elle a bien profité, dit Raboliot.

Il se raidit contre la force qui le jetait vers elle, s'appuya des deux paumes, solidement, à la table. Il était juste en face de la porte vitrée, la lumière du jardin éclairait en plein son visage, ses joues creuses et velues, ses yeux brillants qui regardaient Sandrine.

Un long moment son émotion le suffoqua, trop poignante. Il avait vu, au pied du tourniquet, un rond d'usure dans les carreaux, la trace de tous les pas qu'avaient creusée là les deux autres, quand ils commençaient à marcher.

— Ils sont en classe? demanda-t-il.

Sandrine fit signe que oui. Il murmura :

— C'est bon. Je les attendrai revenir...

Et il ajouta, la voix dure :

— ...A moins que tu ne voules pas, Sandrine.

Alors Sandrine tendit les bras et elle se mit presque à crier :

— Pardon ! Pardon ! Je ne pouvais pas croire que tu en avais enduré tant et tant ! Comme te voilà ! On ne se figure pas... Et tu étais si loin, sans rien dire, comme si tu avais voulu, le premier, qu'on t'oublie. Et tous les autres qui étaient là, contre toi, toujours à me parler contre toi, à m'expliquer le mal que tu nous avais fait. Ils me disaient : « Vous avez eu de la patience ! Il y en a, à votre place... Mais vous ne voyez donc pas l'homme que c'est, toujours à son plaisir ou à son vice, et tout le reste ne lui est de rien ? » Ils me redisaient toutes mes peines, et de chacune c'est toi qui étais cause. Ah ! Raboliot, c'est pourtant vrai ! Comment ne les aurais-je pas crus, puisque c'est vrai ? Et te voilà. Et je ne sais déjà plus. Mon Dieu ! Mon Dieu ! Est-ce que tu ne viens pas de faire pire ? Pourquoi n'es-tu pas resté loin ? De moi, de nous, que vas-tu faire ? Mon Dieu, faut-il ! Que je suis malheureuse !

Elle pleurait, debout, et continuait de tendre les mains, pour l'implorer peut-être, ou pour le repousser loin d'elle, avec toute la souffrance qu'il apportait. Lui cependant la regardait, et son cœur était plein d'une commisération infinie, d'une tendresse pitoyable qui sourdait de toutes ses fibres, qui l'inondait à large flot. Sandrine ! Sandrine ! C'était bien elle, toujours faible et docile, toujours prête à plier sous une voix plus rude que la sienne, sous une volonté plus hardie. La pauvre proie, sans autre défense que ses larmes. Hélas ! Sur le désir ou sur la haine d'un homme, que peuvent les larmes de Sandrine ?

Comme tout à l'heure, avec plus d'âpreté, il se raidit contre lui-même, contre la joie qui le soulevait. Plus tard, bientôt, quelle récompense ! Mais il fallait accomplir toute la tâche. Et c'était à présent que la tâche commençait. Il demeura debout contre la table, pesant des mains sur le bois massif :

— J'ai bien compris, Sandrine, on t'avait montée contre moi. Toute ta colère des premiers jours, on s'en est servi contre moi. Tu n'étais pas grand'chose, va ! C'était moi qui comptais, moi qu'on voulait toucher, abattre à travers toi ! Et quand tu écrivais la lettre, tu ne t'en es même pas aperçue, il y avait quelqu'un derrière ton dos.

Elle tressaillit. Raboliot continua :

— Quand Tasie est venue te voir, tu n'en as parlé à personne ?

— A popa, avoua-t-elle.

— Je m'en doutais... Et à qui encore ? Il faut bien tout me dire, Sandrine. Après le coup du pont de Malvaux, *on* a dû se montrer ici, pour une enquête, ou pour me guetter déjà. On a dû te parler... revenir... C'est-i'vrai?

Il répondit lui-même, après un court silence:

— C'est vrai.

Et il se mit à brûler et transir, serrant ses dents pour les empêcher de claquer.

Voilà... Il avançait tout droit, sur une route dure et rigide. Depuis la lisière des bois, sur la route de l'Aubette au soleil, il avançait dans une implacable lumière, sans rien voir que cet aride flamboiement. S'il avait vu des faucheurs dans les seigles, et Boissinot sur le bord de l'étang, c'était ailleurs, en dehors de sa route. Et même Sylvie, et même Sandrine, quelque chose le séparait d'elles, encore, un peu comme un voile de soleil onduleux, une zone d'air vibrant qui le brûlait et le glaçait ensemble.

Devant ses yeux, la forme de Sandrine reculait. Elle parlait et criait, elle répétait : « Pardon, Raboliot ! Est-ce que je pouvais me douter? » Elle se tordait les bras, l'adjurant de ne plus être là, de se sauver, de se cacher, par pitié ! On devait l'avoir vu, en plein jour ; tout le monde au bourg devait le savoir chez lui, et eux aussi, Jésus, les gendarmes ! Et ils allaient venir, et *il* allait venir, sûrement, sûrement ! « Ah ! va-t'en, Raboliot ! Tu reviendras, cette nuit, quand tu voudras, mais va-t-en à cette heure, va-t-en, va-t-en ! »

Elle se sentait devenir folle, devant lui qui

pesait de ses paumes sur la table, sans bouger, le visage extraordinairement calme, presque rêveur.

Et soudain elle se tut. Et des épaules jusqu'au bout des doigts les bras de Raboliot frémirent. Distinctement, sur le sable de l'aire, on avait entendu le roulement d'un vélo. Raboliot lâcha la table, disant très vite, d'une voix qui commandait :

— C'est à toi de partir, Sandrine ! Emmène-la vite... Allez chez Touraille toutes les deux !

Le guidon de la bicyclette tinta dehors, heurtant le mur. Ils détachaient ensemble la drôline, et leurs doigts brûlants se mêlaient.

— N'aie pas peur... N'aie pas peur, répétait Raboliot.

Vers la porte vitrée du jardin, il la poussait, tenant Sylvie serrée contre elle.

— Vite ! Vite ! Allez-vous-en !

Quand la porte s'ouvrit derrière eux, il se pencha davantage sur Sandrine, il écarta les bras pour lui cacher l'homme qui entrait. Et il la poussait toujours, et ses yeux l'éloignaient avec une douceur impérieuse.

Elles furent dehors. Il vit Sandrine courir dans le jardin, passer la haie pour rejoindre la route. Elles disparurent, et il se retourna lentement.

Bourrel était à la place même qu'il avait quittée tout à l'heure, contre la table. La lumière du jardin tombait droit sur son âpre visage. Ses traits étaient semblables au souvenir qu'avait d'eux Raboliot, semblables à ce point qu'il en était presque effrayé. Bourrel le regardait avec un ricanement de joie : ce ricanement aussi Raboliot l'avait attendu, exactement tel qu'il était.

— Tu viens pour m'arrêter ? dit-il. Le boulanger t'a prévenu, au pays... Alors tu as sauté sur ton vélo, pour être ici plus vite, pour y arriver le premier... Boussu et Dagouret te suivent à pied, je pense ?

— Justement, dit Bourrel.

Raboliot avait reculé de quelques pas, jusqu'à toucher des reins le fourneau. Il saisit à deux mains, derrière lui, la galerie où pendaient le tisonnier et le soufflet, la serra de toutes ses forces.

— Je t'attendais, dit-il.

— Moi aussi, dit Bourrel.

Il ricanait toujours. Raboliot pouvait voir les ondes de sa joie, brèves et puissantes, courir de sa poitrine à sa face. Le même tremblement secouait les bras du braconnier. De toute sa volonté il tâchait de le réprimer, crispant ses doigts sur la barre de fonte, derrière lui. Et Bourrel, tout à coup, laissa jaillir sa joie :

— Moi aussi, je t'attendais. Et j'étais bien tranquille, je savais que tu reviendrais. Compte à deux, toi et moi ! Quand tu as filé sur Chaon, quand tu t'es ensauvé je ne sais où, au diable, l'idée qu'on te chaufferait par là, que ce serait peut-être un autre qui t'arrêterait, cette idée-là m'aurait rendu malade... Mais je restais tranquille, au fond ; je me disais : « Le pays le tient trop... Quand il aura traîné son las, il reviendra, ça sera plus fort que lui. Et alors, on verra bien ! » Et tu es revenu, parbleu ! Tu devais me sentir, c'était comme si je t'avais rappelé.

Le corps tendu, le buste un peu penché, il avançait, comme malgré lui, sur Raboliot : un pas, et puis un pas, attiré vers cet homme qui le regardait sans bouger.

— Ton retour, je l'ai su tout de suite. Tu l'as bien dit : les gens causent... Et je suis passé à Bouchebrand, pour causer moi aussi, pour savoir... Tu n'y venais déjà plus guère, toujours la nuit, changeant tes heures. Tu te méfiais, tu es malin. Et des bois tout autour, vers le canal, vers la Sauvagère et Chanteloup. Encore courir ? Encore te pister là-dedans ? Crapule, tu connais les bois mieux que moi ! Je n'étais pas de force, tu m'aurais échappé encore. Et je voulais, tu entends, je voulais ne pas te rater !... Alors quoi, j'ai pris tout mon temps. Il y avait trois mois que j'y pensais, que je préparais ça, heure par heure autant dire. Ta maison, ta femme, tes mioches... Je m'étais dit : « Voilà mon affaire » ; comme ça, sans trop voir clair encore. Mais l'idée était bonne, je n'ai pas été long à m'en apercevoir : le tout est de savoir causer. Et j'allais, un peu plus content tous les jours, parce que plus j'allais, plus je voyais que mon idée était fameuse : « Mais il aime sa femme, ce Raboliot ! Mais il aime ses drôles, ce sale gars ! Tiens, tiens... » Et j'ai été sûr de t'avoir.

Il respira, la moustache allumée d'un rire. Et il fit encore un pas :

— Tu reviendrais chez toi, c'était forcé. Mais quand ? La nuit toujours, de mèche avec ta femme, aidé par elle en bon amour ? Elles sont 'core plus malines que nous, les femmes, surtout quand l'amour les tient. Ce qu'il fallait, je l'ai bien vu, c'était la monter contre toi, s'arranger pour qu'elle te rejette, que tu le saches n'importe comment ! Il y a une Justice, bon Dieu ! Tout le monde m'a aidé, de leur bon gré les uns, les autres sans comprendre, mais tous dociles à mon vouloir : le vieux Touraille, fatigué de tes manières glorieuses, les voisines, les gens du bourg, tout le monde ! Et toi-même avec tes voyages à Bouchebrand, et ta femme qui était jalouse, ta mère aussi, cochon, désespérée de ta repentance ! Quel coup de joie, quand j'ai appris que la Tasie était venue ! Ah ! je te connaissais bien ! Que l'on te dise : « Va-t-en », c'était assez pour que tu reviennes ; et que ce soit ta femme qui te le dise, assez pour que tu accoures, tout droit, sans rien voir, fou perdu. Et te voilà, et moi aussi... Ah! bon Dieu, ça y est tout de même!

Il était à présent à deux pas de Raboliot. Et Raboliot le regardait, la bouche un peu entr'ouverte, les yeux stupides : cet homme-là... Bourrel... Et ce rire devant lui, et ces paroles qui résonnaient encore... Il s'était bien douté de tout cela, mais que Bourrel le lui criât ainsi, c'était une chose si formidable qu'il en demeurait hébété. Sa lèvre inférieure grelottait, ses dents cliquetaient doucement par intervalles irréguliers.

Et Bourrel fit encore un pas en mettant la main à sa poche. Raboliot le regardait toujours, et se penchait maintenant un peu, et se tendait lui aussi vers Bourrel.

— T'as fait ça... dit-il sourdement.

Et aussitôt, la voix plus haute :

— T'as fait ça !

Et sa voix s'enfla tout à coup. Ses mains, glissant sur la tringle de fonte, cherchèrent en tâtonnant, sentirent le balancement du tisonnier, le décrochèrent avec une adresse silencieuse. Et cependant il s'entendait crier, d'une voix tonnante qui bondissait hors de lui-même :

— T'as fait ça ! T'as fait ça ! T'as fait ça !

Il vit distinctement l'expression de terreur qui défigura Bourrel. Il le vit reculer, portant des doigts fébriles à l'étui de son revolver, buter du dos contre la table, et s'abattre en arrière tout d'un coup, les reins ployés, cassé en deux.

Le croc du tisonnier, forgé, aplati au marteau, aigu et long comme une lame de couteau, avait plongé tout entier dans l'orbite. Un spasme secoua les jambes de Bourrel, un autre encore. Le corps tourna doucement sur le côté, s'appesantit du buste sur la table, ne bougea plus, les jambes pendantes et fléchies à demi. Alors seulement Raboliot vit le sang : il coulait vite, s'épandait en flaque sous le cadavre, et du bord de la table tombait sur le carrelage avec un bruit continu de fontaine.

Il regarda, sans plus lever les yeux, le point où le filet de sang atteignait les carreaux de brique, coulant sans trêve, élargissant par terre une autre flaque. Il se disait, le cerveau vide : « Que c'est long ! Que c'est long ! Est-ce que ça va couler toujours ? » Et il guettait, derrière son dos, le bruit que ferait la porte en s'ouvrant.

Quand Boussu et Dagouret entrèrent, il poussa un grand soupir, et de lui-même leur tendit les poignets.

ACHEVÉ D'IMPRIMER LE
29 SEPTEMBRE 1925 PAR
L'IMPRIMERIE FLOCH,
A MAYENNE (FRANCE).